フェイクニュースを見破る

武器としての理系思考

武田邦彦 Kunihiko Takeda

ビジネス社

はじめに

～なぜ「理系思考」が必要なのか？

2020年末、テレビでは連日「新型コロナウイルスが爆発的な感染拡大をしている」と人々に警戒をうながし、その一方で「アメリカやイギリスでワクチンが開発された」と喜ばしいことであるかのように伝えていました。

しかし、これらの言葉にはいくつかのウソ、もしくは誇張やごまかし、間違いが含まれています。なぜなら、これらの多くは「科学的な考え方」すなわち〝理系思考〟が欠如しているからです。みなさんはお気づきでしょうか？

まず「爆発的な感染拡大」という言葉――、これは明らかに誇張です。

そもそも「爆発的」というのはいったい何人ぐらいからのことを言うのか。

たとえば、毎年のインフルエンザの1月初旬の状態をみてみると、1週間で約

100万人の患者が出ています。ところが、これに対して「爆発的」という言葉が使われることはまずありません。

一方、今回の新型コロナウイルスはそれと比べるとものすごく少ない。1週間で新規感染者が2万人弱なのですから桁(けた)が2つも異なります。それを「爆発的」というワードを使うことで人々を脅しています。このようなやり方は適切ではないでしょう。

「ウイルス」は世の中からなくならない!?

また、「冬になって第3波が到来した」とテレビや新聞などが報道しますが、これもまったく根拠のない言い方です。

たしかに、第1波と言われる今年3月、4月よりも、第2波と言われる7月、8月のほうが感染者数は多く、これは日本やヨーロッパでも同様で3、4倍になっています。しかし、死者数となると第2波のほうがずっと少なくなりました。

実は、死者が少なくなるのは当然のことなのです。

通常、ウイルスというのはどんどん変異をしていきます。現在観測されている「変異株」は、5000種以上になっています。

仮に、その中で毒性が「最強のウイルス種」と「最弱のウイルス種」がそれぞれ同じだけ人々に感染していったとすると、当然、「最強」に罹(かか)った人は亡くなる確率が高く、「最弱」に罹った人はほとんど亡くなりません。

すると、だんだん「最強」より「最弱」のウイルス種のほうが多くなっていきます。なぜなら、最強のウイルス種は宿主を殺してしまうからです。ウイルスは人間の細胞の中でしか生きていけませんから、そこで絶えてしまうのです。

このように、「弱いほうが残っていく」ということを繰り返すので、ウイルスはだんだん毒性が弱くなっていきます。死亡者の高(たか)でみたときに、果たして7月、8月は第2波と言えるのか。そこからして定義づけが明確にはなされていません。

さらに、「ウイルスのある状況が果たして異常なのか」ということも一考せねばなりません。現在は多くの人が新型コロナウイルスを目の敵のようにしていますが、それが出てきた生態系としての背景というものがあるからです。

人間というのは、人間という種の単体だけでは生きていけません。ウイルスも然(しか)り、細菌も然り、また水銀のような有害とされる元素なども、私たちの身体には必要なのです。つまり、私たちは「ウイルスや細菌と一緒に生きている」のです。

そういう科学的な考え方で、新型コロナウイルスとどうつき合うべきか——を考察していかなければ、自然界からたいへんなしっぺ返しがくる可能性があるのです。

「わからないことは、わからない」と言うのが本物の科学者

「武田邦彦はウソや間違いばかりを言っている」との批判を受けることがあります。しかし「ウソ」というのは、本当のことを知っているのにそれと違ったことを発言する場合のことです。

たとえば、2010年にNHKが朝のニュースで「石油はあと40年です」と言いました。1973年のオイルショックのときにも、やはりNHKが「石油はあと30年です」と言っていました。こちらも間違いだったわけですが、たしかに当時(1973年)としてはそういう〝錯覚〟をする可能性はありました。しかし、2010年にはもう事態ははっきりとわかっていたのです。

2000年からシェールオイルの掘削が始まると、2009年にはそこから石油が生産されるようになり、それがあと1000年ぐらいは持つだろうということもわかっていました。

ＮＨＫの中には科学の専門家もいますし、石油に関する情報はいくらでも入っていたはずです。だから、２０１０年の時点で「石油はあと40年」というのは明らかに〝ウソ〟なのです。

このように、何が正しいかということがわかっていながら違ったことを言うことが「ウソ」です。そして、そこには何らかの意図があります。

私は一切「ウソ」をつきません。なぜならば、私は「科学者」だからです。科学者は「ウソをつくことに意味がない」と知っているからです。これについては、のちほど本文中で詳しくお話ししたいと思います。

とは言え、私も人間ですからどうしても「間違い」というものはあります。自分は本当だと思っていたけれどもそれが間違いだったときには、もちろん訂正して謝ります。ところが、「テレビや新聞と違ったことを言っているから武田は間違っている」という人がいるから困ってしまうのですが……。

私が間違いを言わないようにするために心掛けていることの一つに「必ずデータをみて、自分で考える」というものがあります。

たとえば、２０２０年のインフルエンザの患者数はものすごく少なくて、平年の

200分の1です。これについて「みんながマスクをつけるようになったからだ」と言う人がいます。しかし、これは単に自分の先入観で説明しているに過ぎません。今のテレビの評論家やコメンテーターの多くがこれです。

このときに私はどうしているかというと、まずすべてのデータを確認することから始めます。そして、2020年のインフルエンザが平年に比べて少ない時期と、多くの人がマスクをするようになった時期、自粛していた時期などをすべて比較考察してみるのです。

すると、自粛もマスクもしていないときから2020年のインフルエンザはグンと減っていることがわかります。そうするとマスク以外のなんらかの理由でインフルエンザが減ったのだということがわかります。このように、事実（データ）によって説明をするということが大切です。

当時、「これから第3波が来るのか」ということについて、私は論評しませんでした。なぜなら、新型コロナウイルスというものについて、私たちはまだ完璧（かんぺき）に理解しているわけではないからです。

本来、科学者は「未来」に属することについて、はっきりとした結論を言ってはいけません。政策担当者やビジネスパーソンは、未来を予測してもいいでしょう。しかし、学術的な解説をする者は、そこに確実性がなければならない。過去のことはきちんと説明しなければいけませんが、未来のことは「わからない」というのが正しい在り方なのです。

私が40歳のころ、恩師から次のように厳しく指導されました。

「学問というのは、ここがわかっていて、ここがわかっていないということをはっきりさせないといけないものだ」――。

学問は下手をすると、一般の方々に大きな誤解を与えてしまいます。そして、時に多くの人の命や財産を奪ってしまうこともあります。私の恩師は、学問の持つ危険性について教えてくれたのです。

今回の新型コロナウイルスに限らず、巷(ちまた)には科学の装いをしたフェイクニュースが蔓延(まんえん)しています。長年にわたってウソがまかり通ってきた結果、それが世間の常識として定着してしまったものもたくさんあります。

しかし、そうしたウソは多くの場合、誰かがそのウソによって「得をしよう」として流布(るふ)されたものです。そして、一般の方々が健康面や金銭面で少なくない被害を受けています。

　このような状況を打破するためには、一人ひとりが〝ウソを見抜く力〟を養う必要があります。本書では、みなさんがその力を養うために必要な「理系思考」について科学者の立場から解説していきたいと思います。

武田邦彦

フェイクニュースを見破る武器としての理系思考◎目次

第1章

検証編①

主要メディアに多数登場する、平気でウソをつく人々…

―地震予知とダイオキシン問題

地震予知

ダイオキシン

第2章

検証編②

「健康」を害する、新聞・テレビの脅迫的なニセ情報
——血圧、タバコ、コレステロールについて

血圧

第3章

検証編③

「理系アタマ」の考え方で、巷のウソを見抜け！

―日本経済から死後の魂まで

第4章

検証編④

日本全体を覆う「錯覚」の正体とは?

――先の大戦と日本文化を考察

先の大戦

日本文化

おわりに

序章

基礎編

フェイクニュースに惑わされないための「科学」の基本のキ

原則その①

科学は「未来」を予測しない

一見すると科学の話のようでありながら、実はデータの裏づけなどの根拠がまったくない……、そんな似非科学が今の世の中にはあふれています。

残念なことに、新聞やテレビで大きく報じられ、社会的に「定説」とされているような事柄においても同じことが言えます。そうしたものに騙されないためには、まず〝科学の基本〟というものを理解することが大切です。

ここでいう科学の基本とは、物理の公式であるとか、数学の2次方程式とかそういうものではありません。科学というものが持っている外見的な特性というような、ちょっと注意してみれば誰の目にも見えるもののことです。ここを理解していれば、「科学の皮をかぶったウソ」に騙されることはなくなるでしょう。

科学がどういうものかを理解するということは、物事の〝本質〟を見究めること。

数字や数式は必要なし。ですから、本書で身につけていただきたい〝理系思考〟は逆説的ですが、いわゆる「文系」の人のほうがいわゆる「理系」の人より深く理解できるかもしれません。

まず、科学の基本原則として**「科学は未来を予測しない」**ということがあります。これは案外と多くの人が見誤っているポイントでしょう。

よく科学者と呼ばれる人が、「来年の予想」や「10年後の日本」など将来予測をするのをテレビで見かけますが、本物の科学者は安易に〝未来〟を予測しません。それはなぜでしょうか。

そもそも科学というものは、「わからないことがある」というのが基本になっているからです。

「私たちは森羅万象のうちのほんの一部しか知らず、ほとんどのことがわかっていない」――、このような認識を持っているのが、本物の科学者です。

これは哲学の世界でも言われていることです。

有名なドイツの哲学者のゲオルク・ヴィルヘルム・フードリヒ・ヘーゲルが『法の哲学』の序文に記した「ミネルバのフクロウは夕暮れに飛翔(ひしょう)する」という言葉をご存

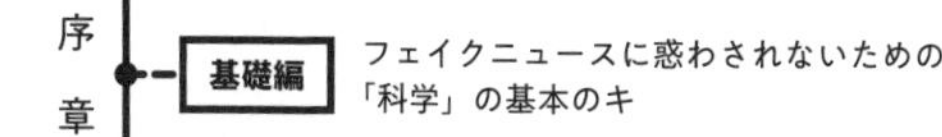

じの方もいるでしょう。

ミネルバとはギリシャの女神で「知恵と勝利」を司っていて、その横に傅くフクロウは「学問」のことなら何でも知っています。そのフクロウは、日が明けても飛び立たず、夕方になると飛び立つというのです。ここでの朝とは「物事の始まり」、夕方とは「すべて終わった後」を表しています。

この言葉の意味は、「フクロウ（哲学者）の役割は〝過ぎ去った時間の中で形成されたものを概念としてまとめ、世の中に提示すること〟である。哲学者は、予言者ではない」ということです。

科学者もこれと同じです。

物事が始まるときに活動を始めるのは政治家や実業家です。そして昼が過ぎ、夕方になるとその日の勝負がついて、選挙に落選する人、事業に失敗する人というのが出てきて、当選した政治家やお金を儲けた実業家が繁栄します。

飛び立ったフクロウはそうした経緯を上空から見て、「あの人はこういうことで成功したんだ」「彼はこういうところで目が利いたんだ」ということを科学的に説明するのです。

また、科学は「整理の学」「解析の学」とも言います。

つまり、物事を整理し、数式などを使って解析し、「これはこういうことだった」と分析するのが科学であって、未来を予測するのは科学ではありません。

「未来学」というものもありますが、これは過去のデータを分析して未来を確率的に論じるもの。数学的アプローチをとっているので学問として成立しているのかもしれませんが、いわゆる自然科学や社会科学とは別種のものだと言えるでしょう。

言うまでもなく、「未来を予測する」というのは非常に難しいことです。

2020年に世界中で感染拡大した新型コロナウイルスについても、今後どうなるかはわかりません。

2019年11月末に最初の患者が出たとされ、12月に中国の武漢(ぶかん)で流行(はや)り始め、それから世界に広まっていったわけですが、その過程で多くの識者がさまざまな予測をしました。

ノーベル賞学者の中にも予測的なことを言った方がおられますが、結局それもまったくハズレていました。

これが意味することは、ノーベル賞を受賞した学者のような頭の良い人だからといってそうそう予測が当たるものではないということ。これも「科学的手法で未来を予測することはできない」ということの一つの証拠と言えるでしょう。

地震予知や火山噴火の予測が当たらないというのも同じでことです。本来、科学は未来を予知するための学問ではないのです。

したがって、未来を予測する科学者の言うことは信用してはいけません。もしも科学が未来を予測するのに適しているのであれば、科学者は株や為替で大儲けをして悠々自適の生活をしているはずです。

しかし、ほとんどの科学者は貧乏で、研究費を得るために苦労しているというのが実際のところです。

原則その②

テレビに出ている「専門家」を信用しない

「理系の分野はよくわからない」という、文系の方が多くいるようです。

だからといって、大人になってから物理や化学をイチから勉強し直すというのは大変ですね。すると、専門家の言うことを信用するしかないのですが、そのときに「信用できる人は誰か」ということを、感情的にではなく、論理的に知っておく必要があります。

さきほど「未来を予測する人は信頼できない」と記しました。ですから「来年はこうなる」とか「地震が予知できる」というようなことを平気で言う人の話は聞かないほうがいいでしょう。

このことを発展させてみると、**「テレビに出ている専門家を信用しない」**ということになります。これが第2の原則です。

かくいう私自身も20年ぐらい前からテレビ出演の機会がたくさんありました。最初は「環境」に関するニュース解説で、テレビ朝日やＴＢＳ、ＮＨＫにも昔は出ていました。

この何年かは『ホンマでっか⁉ ＴＶ』（フジテレビ系）のようなバラエティ番組にも出ていました。しかし、最近は地上波テレビではなく、インターネットの番組が多くなりました。それはなぜかというと、地上波テレビが大きく変質してしまったからです。

地上波テレビのゴールデンタイム（午後7時から10時ごろまで）の時間帯は、大阪の吉本興業や東京のジャニーズ事務所といった人気タレントを多数抱える芸能事務所が力を持つようになりました。10年ほど前に、テレビ局が出演者を決めることもできないぐらいの勢力になってしまいました。

吉本やジャニーズのタレントを番組に出さないと、他の機会にその事務所のタレントが必要になったときにも出してくれない。「おまえのところは、このまえの番組に出さなかったから、今回は出さないよ」と言われてしまうわけです。

日本の社会全体で言えばずいぶんと労働環境も雇用関係も近代化したのですが、芸能事務所というのは相変わらずの〝お抱え主義〟で、古い芸者さんの社会のような非常に強い縛りがあって、人間としての人格もあまり尊重しないというところがあります。そのためにそういった旧態依然とした体制が、地上波テレビという近代的な制度の中にまで入り込んでしまいました。

芸能人・芸人という人たちはもともと「芸」を売り物にする人たちであって、その他の部分についてはまったくのウソというわけではありませんが、少なくともニュースなどに関しては正確なことを言うことを仕事にしているわけではありません。

したがって、テレビ局が「こう言ってほしい」と頼めばそれに従う、もしくは制作サイドがそのようなことを言わなくとも勘の鋭い一流の芸能人というのはテレビ局が言ってほしいことを撮影スタジオの中で察することができます。

そうして真実とはまったく関係のないことを言う人ばかりが残っていきます。

芸能人・芸人の方々はそれでもいいのかもしれません。しかし、近ごろでは「大学教授」と言われる人たちまでもがそうなってしまっています。

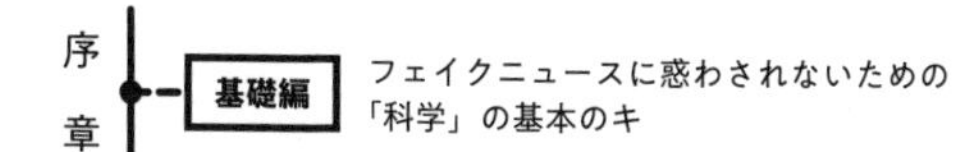

実はそういう人たちの多くが、いわゆる純粋な大学の先生ではありません。役人から大学教授になった人やジャーナリストから大学教授になった人たちが〝大学教授〟という肩書で紹介されているのです。

ひと昔前は、純粋な学者である理系の大学教授なども随分とテレビに出ていましたが、最近はそういう人をとんと見かけなくなりました。

まあ理系の大学教授といっても、近ごろは研究費を確保するためにいい加減な申請書を書く人がいるような時代ですから、必ずしも彼らが本当のことを言うとは限らないのですが……。それでもやはり役人やジャーナリストなどから転身した教授といった人たちよりはまだ、信頼度が高いように思います。

私がテレビで見る限りにおいては、芸能人・芸人たちでは（そもそも真実を言う必要がないのですが）科学的に間違った発言が80～90％といったところでしょう。評論家といわれる人たちも学術的な誠実性を求められてはいませんから、これも発言のうちの60～70％は間違っています。そして役人やジャーナリストから大学教授になった人は、半分くらいは間違いったことを言っているように感じられます。

つまり、現在の地上波テレビの解説というものは、もう基本的に科学的に間違っている状況にあるのです。真実よりも、制作サイドの意向に沿うことが第一であるからです。

かつて私は、タイトルをいったら皆さんがすぐにわかるような大きな番組で「石油はなくなる」というテーマの番組に出演依頼を受けたことがありました。

私は「石油はすぐになくなるわけではなく、どんなに短くても4000年くらいは持つ」という考えです。これは資源学として自分が勉強をしてきた上での結論ですからおいそれと変えるわけにはいきません。

ところが、テレビ局側は「どうしても石油はなくなると言ってくれ」と譲ろうとしませんでした。それで「いや、言えない」とまあケンカをすることになったわけですが、私はこういうことが本当に多くありました。

しかしケンカが多くなると、そのうち局のほうも嫌になったのでしょう。「武田は使いづらいからやめよう」ということになり、私は少しずつ地上波から身を引いていくことになりました。

私の気持ちとしては、テレビに出たところで、視聴者に本当のことを言えないのであれば出る意味がないと思っていました。視聴者のみなさんも、「武田の言うことは、少なくとも学問的には正しいのだろう」と思って観ているのでしょうから、そこで本当のことを言わないのではむしろ害毒を流すことになってしまいます。

そうした考えもあって、私は少しずつテレビに出なくなっていきました。その点、インターネット空間は今のところはまだ自由に発言できる場になっていますね。

とは言うものの、この原稿を書いている間に、新型コロナウイルスに関して「ＷＨＯ（世界保健機関）の方針に反することを言ったら削除する」という指令を受け、何回かの警告の後に私はＹｏｕｔｕｂｅ（ユーチューブ）でブログを出せなくなりました。

日本には日本国憲法があり、「表現の自由」が定まっているのですから、この削除は表現の自由の違反になると思います。「表現の自由を守れ」とＮＨＫや朝日新聞、文化人などが常に言っていることですが、今のところ、どのマスコミも武田の表現の自由が損なわれたというニュースを流してくれません。どうも、マスコミが主張する表現の自由とは「自分たちだけのもの」ということのようです。

原則その③

「データ」が出るまで判断しない

3つ目の原則は、**「データが出るまでは判断しない」**です。

これについては、みなさんも関心がある、新型コロナウイルス禍を参考例に説明をしていきたいと思います。

新型コロナウイルスに関連するニュースが最初に日本に入ってきたのは2019年11月の後半で、中国の武漢で奇妙な風邪が流行ってきたということでした。

それから12月の末には「感染防止の観点からすると、正月休みにどんちゃん騒ぎをするのはどうかと思う」というようなことが言われたりもしましたが、まだ大きな問題として認識されてはいませんでした。

そのころ、すでに台湾では国境を封鎖した時期でしたから、きちんと調べればある程度の情報は得られたはずですが、日本に入ってくる情報そのものはすごく少なかったのです。

年が明けた2020年1月18日、日本経済新聞が「今年の春節で、中国から日本への来客を増やすためには、これまでのような爆買い一本でモノを売るということだけを進めるのではなく、コトを売る（例えば、コンサートやスポーツ観戦など）＝コト消費にも積極的にならなければいけない」というような記事を出していたように、大半の人々は緊急事態宣言が出されるほどの一大事になるとは思っていませんでした。

そのような緊張感のない中で、2月3日にクルーズ船「ダイヤモンド・プリンセス号」が感染者を抱えて横浜に寄港し、ようやく世間の注目が集まり始めました。

当時、私は新型コロナウイルスに関する発言はほとんどしませんでした。なぜなら、データが非常に断片的で、中国の狭い地域に限られていたことがひとつ。そして、毎年流行るコロナウイルス（一般的な風邪の原因のひとつに〝ヒトコロナウイルス〟があります）との違い、もしくはインフルエンザとの関係、さらにコロナウイルスのひとつであったSARS（約20年前に流行）との関係などがまだわからなかったため、沈黙していたのです。

私は医学者ではありませんが、人体の劣化や病気など基礎医学にかなり近い分野の研究は相当やってきました。しかしそういう知識をもってしても、1月末ごろにはまだ判断できない部分が大きかったのです。

2月上旬に、最初に病気を警告した武漢の医師がお亡くなりになり、次々と患者数が増え、2月中旬から下旬にかけて中国の医学者たちが英語の論文をどんどん発表しました。

遺伝子解析なども進んできて、2月末には今回の新型コロナウイルスの遺伝子配列なども、アメリカの医学雑誌に掲載されるようになったので、私はこれらを一所懸命に読み込みました。そして、ようやく新型コロナウイルスに関する情報がほぼ出揃ってきたので、3月の初めぐらいからテレビやインターネットなどを通じて発言を始めました。

これはけっして私の自慢話ではなく、本書を読むみなさんの参考になると思うのでお話ししています。

テレビに出てくる学者や評論家の多くは、2月に新型コロナウイルスの感染拡大が本格的に始まり、日本にも患者が出始めるとすぐに「大変だ！」「もっとすごいことなる！」と発言していました。この騒動で有名になった女性学者なども現れ、新型コロナウイルスの危険性などを解説していました。

そのころの私は、テレビ番組などで質問を受けたときには必ず「まだデータがはっきりしないので、安易な発言はできません」と答えていました。

これは非常に重要なことです。第1原則の「科学は未来を予測しない」で記したように、科学者は未来を予測するのではなく、データをみて判断するということなのです。

ですから、データが出るまでにいろいろなことを言う人は、その人が信用できるか否かという前に、少なくとも科学的ではないのです。

私は2月の末までは主として中国やアメリカの論文を読み、「今度の新型コロナウイルスは、伝播力はだいたいインフルエンザ並みだな」「重症化率はインフルエンザよりも少し高いけれども、若い人はほとんど重症化しないので、病気としての悪質性はそれほど強くないな」ということを理解しました。

90歳代などご高齢の方が亡くなることについては（もちろんお亡くなりになるわけですから悪いウイルスなのですが）、誤解を恐れずに言えば、そういうご高齢の方はいずれ何かの病気で亡くなるわけです。

そういうことがいろいろとわかってきたので、私はようやく新型コロナウイルスについて発言するようにしました。3月上旬から発言を開始し、いちばん多かった時期は3月下旬から4月にかけてでした。

それもあって6月ごろになると、多くの方から「今度のコロナウイルスに関する武田先生の発言は非常に正確だった」との声をいただきました。「100%正確だった」と言ってくださる人もいます。

なお、ひとくちにデータと言っても「日本人にとって、そのデータが正しいかどうか」ということも重要なポイントになります。

ところがマスコミなどは、イタリアやスペイン、アメリカなどに感染が広がると、そちらばかりを一所懸命に報道し始め、専門家という人たちもこれに関連したコメントを繰り広げました。

みなさんも〝2週間後には日本もイタリアのようになる〟〝現在のニューヨークは2週間後の東京の姿だ〟などといったコメントを何度もテレビの報道で目にしたことでしょう。

しかし、イタリアやスペインなどの海外と日本とでは気候も生活習慣も異なるわけですから、流行という点ではまったく同じようには考えられません。

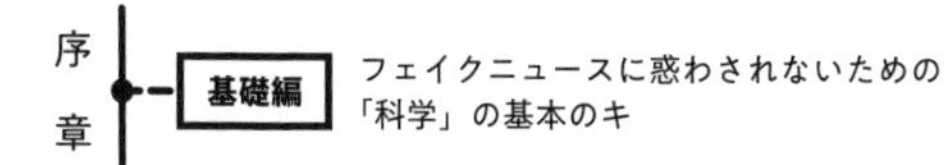

その証拠に、だいたい各国の感染が一段落したところで比べてみると、日本と欧米諸国では感染者数も感染率も重症化率も死亡数も数10倍、100倍、200倍と違っているわけです。

病気のことを考えるときは、10倍ほどの差があれば別々に考えなければならないのですが、今回のように数10倍、100倍、200倍も違うとなればまったく参考になりません（2020年末のデータでは、日本の新型コロナウイルスの死者は3400名、イギリスは日本の人口に補正すると約10万人で、約30倍も差があります）。

ですから、「ヨーロッパがこうだから、日本もそうしなければならない」などという専門家がよくいましたが、これはまったく見当はずれのことなのです。

つまり、データを基にして話している人であっても、同時にそれを正確に読み解く能力が問われるということです。

原則その④

「違うデータ」が出たら考え直す

科学的判断というものをみるときに、データが出ていないときに発言する人のことを信用してはいけないというお話をしました。科学はデータで判断するわけですから、データの出ないときに発言するというのは、自分の個人的な思想から発言をしているということで、科学的ではないことがわかります。

そのこととはまったく反対のことのように思うかもしれませんが、最初のデータと違ったデータが出たときに、それまでの発言を変えたり、考え直したりするということが大切になります。これが第4原則**「違うデータが出たら考え直す」**です。

「考えを変える」というと何か悪いことのように考える人もいるでしょうが、そうではありません。これは〝宗教〟と〝科学〟というものを考えるとわかります。

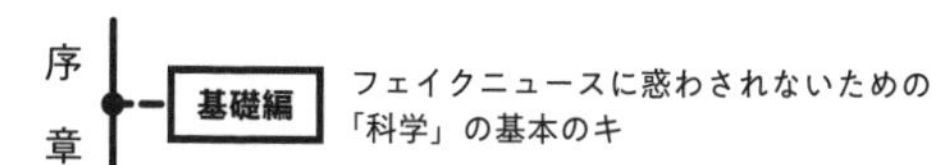

宗教において「何を信じるか」というときに、それが事実かどうかは関係ありません。ある宗教を信じる人たちは、科学的な根拠の有無にかかわらず教祖様の言うことや伝統の示すことを信じて生活をするわけです。

したがって彼らは「真実は一つ」という考えになります。新たなデータが出たとしてもそれによって考えが変わることはありません。

これに対して、科学は「データによって判断」しますから、違うデータが出たら必ず考え直すということが必要になるのです。ある程度の科学の訓練を受け、自分自身で長い間研究をしてくると、そのことが痛いようにわかります。

科学というものは「未知」の分野を切り拓いていきます。そして未知の分野を切り拓こうというときに、通常は自分の考えだけでは間違いがあるので、実験や調査というものが必要になります。

もしも自分の考えが常に正しいのであれば、実験をする必要はありません。実験をしたところで、その結果は必ず自分が考えているのと同じことになるはずだからです。

ところが、科学において実験は欠かせません。社会学的なものであっても必ず調査をするわけですが、それはなぜかというと実験や調査の結果が、当初に自分が考えていたことと違ったものになる可能性があるからです。

私も長い間、物理や化学の研究をしてきましたが、自分が「こうだろう」と考えて実験を行うと、かなりの確率で「自分が考えたことと違う結果」が得られることになります。それだからこそ実験をするわけです。

そして、そのときに自分の考えと違った結果が出たら喜びます。科学者にとって、自分の考えたことが実験で裏づけられるというのはあまり喜ばしいことではありません。

自分が考えたことというのは今までの学問で予想されていることですから、実験の結果が思ったとおりになったとき、そこには新しい発見も進歩もありません。しかし実験によって違うデータが出てくるということは、そこに新しい発見とか進歩の可能性があるということになる。

だから、科学者たちは実験によって違う結果が出たり自分の考えが裏切られたりしたほうが喜ぶという変な経験をずっと積んできているのです。この習性は実験においてだけではなく、世の中のことについても発揮されます。

これについても、新型コロナウイルス禍を例にして説明しましょう。

当初、2019年11月末から12月にかけて中国でコロナウイルスが流行し始めると、多くの人たちは「これは大変な新しい肺炎ではないか」「もしかすると人が故意にウイルスの中に変なDNAを入れ込んで、特別な強力なものが出てきたのではないか」「だから武漢ではあんなに流行って、人々が病院へ押しかけて、しかも待合室に患者があふれるような状態になるのではないか」と考えました。

これは、それまでの過去のデータから導き出された当時としての推論です。

ところが1月、2月に入ると、おそらくかなりの人数の中国人感染者が日本に入ってきていたにもかかわらず、日本ではほとんど感染が広まらない。

2月の末でもまだ1日あたりの患者数は全国で50人を上まわらないような状態が続いていました。

これまでのインフルエンザウイルスですと、急激に流行し始めるのがだいたい正月あたりなのですが、それから2週間も経てば1日に40万人もの患者さんが出るようになるわけです。

インフルエンザのように1日に40万とか60万とかいう人が新たに罹患することを考えたときに、よくそのころにテレビで言っていた「爆発的流行」というのは新型コロナウイルスにはあてはまりません。

少なくとも流行の速度ということではたいしたことがない。2月の末ぐらいまではせいぜい1日50人とか100人程度の桁数でしたから、新型コロナウイルスの性質を根本から考え直さなければいけません。

感染者がお亡くなりになる比率でみると、これまでのインフルエンザではだいたい0・1%でしたが、それが新型コロナウイルスでは1~2%ぐらいだということがわかってきます。

そうすると今度の武漢風邪というのは、流行は非常に遅い。伝播は鈍いのだけれど、感染したときには死亡する危険性が高いという状態になってきますから、その点を考慮すればどうしたってコメントは変わってくることになります。

さらに3月、4月となって、ある程度の流行はしましたが、アメリカやヨーロッパでの感染拡大のスピードと比べたときに日本は相変わらず遅いままで、しかも少しずつ感染者が少なくなってくるというデータが出てきます。

そうすると今度は「なぜ日本では流行しないのだろうか」という問題が出てきます。また重症化して亡くなる人の年齢が非常に偏っていて、80代、90代では結構亡くなる人が多いものの、年齢が下がっていくにつれて、死亡率は激減します。10代、20代となるとほとんどいない……。もちろんこういった統計的には必ず1人や2人はいる

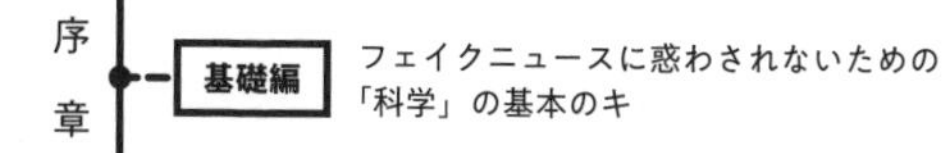

のですが、決して多くはないということがわかってきます。

そうすると今度は別のことを考えなければなりません。たとえば、90歳の人がお亡くなりになったときに「本当に新型コロナウイルスによるものなのか」ということを考えなければいけないでしょう。

なぜそうかというと、人間というのは必ず死ぬわけですが、その死因は90歳ぐらいの人の場合、今までもやはり「肺炎」です。

今度の新型コロナウイルスでは「コロナ病」でお亡くなりになるというわけではなく、ウイルスに感染することで肺炎になったときにお亡くなりになる。そしてこれまでも肺炎で亡くなる方々は、こちらは何がきっかけかというと、その多くはインフルエンザであったり普通の風邪が進行して肺炎になるわけです。

ウイルス自体は風邪やインフルエンザから新型コロナに替わったとはいえ、結局、肺炎になってお亡くなりになるということは同じです。

このことは何を意味するのか……。

日本でインフルエンザや通常の風邪に罹る人は、1年に2000万人もいます。

一方、日本全体で病気や事故を含めたすべての死亡者は、2019年度の厚労省の統計によると138万1098人で、この数字は例年大きくは変わりません。

そして、そのうち12～13万人が肺炎でお亡くなりになります。

厚労省の統計では主にウイルスや細菌による肺炎と誤嚥（ごえん）性肺炎に死因が分けられていて、2019年度の統計によるとそれぞれの死亡者は9万5498人、4万3354人となっています。

この数字も毎年、大きくは違いません。

今度の新型コロナウイルスによる肺炎で亡くなった方は、2020年11月2日の時点で1773人でした。死因確認中の人が117人ということで、仮にこれがすべて新型コロナ肺炎だとすると2000人弱がこれによって亡くなったことになります。

ウイルスや細菌による肺炎での死亡者を毎年10万人としたときに、今回の新型コロナウイルスでの死亡者はそのうちの約2％ということになります。

しかもその中には、もし新型コロナ肺炎に罹らなくても普通の風邪やインフルエンザによる肺炎でお亡くなりになっていたという人もいるでしょう。

こうやって日本全体でみたときには、「新型コロナウイルスでお亡くなりになる人は、実はほとんどいない⁉」という意外な結論に達することになるのです。

私はここで、新型コロナウイルスによってどのくらい亡くなるかということを議論しようとしているのではありません。

データが次々と出てくるときに、最初は「新型コロナウイルスというのは遺伝子が特殊で怖いな」と思い、そのうちに「たいして流行が起こらないな」と思う。その次には「ヨーロッパやアメリカは多いな」と思うようになり、だんだん「年を取っている人だけが肺炎になってお亡くなりになるな、おかしいな」となる。

ここのところをよくわかっていなければいけません。データが変化するにしたがって、そこから導き出される結論も変わっていかなければならないのです。

それが科学の特徴です。実験の結果によって考えを直す。「人間の考えは未熟だから、自然による結果が出たらそれによって考えも変える」という、そのことをよくわかっている人が〝理系思考〟の持ち主です。

原則その⑤

科学者は「異論」を認める

信じられる科学者かそうでないかを判断をする上で、何か議論をしているとき、「すぐカッとなる」ような人は科学者らしくない、すなわち信用できないということが言えます。

印象論的に感じるかもしれませんが、これはその人が科学的にものを考えているか、科学的に考えていないかということがわかるリトマス紙です。実は、科学者は一般の人とはカッとくるタイミングや内容が違うのです。

科学者でない人は、自分が信じていることと違うことを言われたりしたときにカッとくることが多いでしょう。ところが、科学者というのはここまでに記してきたように、自分が信じていることが「ない」のです。科学における結論はデータによって変わってきますから、対象物に対しての個人的な信念とかそういうものはありません。

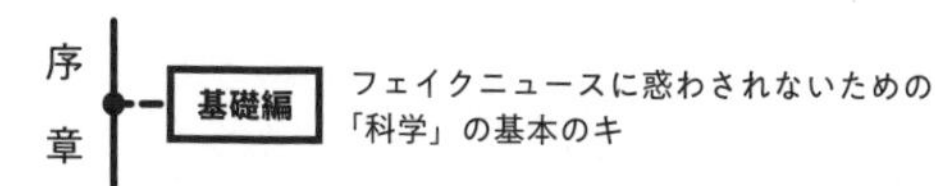

これが、第5原則**「科学者は異論を認める」**です。

では、科学者はどんなときにカッくるのでしょうか。それは相手が何か裏でたくらんでいたり、こちらを説き伏せようとしたり、ウソを言ったり、論理的に矛盾することを言われたときにカッとくるのです。科学者は必ずそうなのです。

科学者は常にデータに対して正直に、真面目に取り組もうとしています。そのときには自分というものを捨て、データに忠実に従おうと考えます。ところが、世の中はそうではありません。世の中というものは残念ながら、他者を騙したり、引っ掛けようとしたりということが多いわけです。

一般社会では、そもそも論理的に考えなくとも通用することが多く、常に感情のままに会話をするような人もたくさんいます。

そういう人たちと相対したときに科学者の心の中はどう動くかというと、「せっかく正直にデータを真正面から見て、それについて頭を絞って議論をしようとしているのに、なぜこの人はデータに基づいた話をしないのか。何か自分の都合でこちらを説得しようとしているのではないか。私を騙して何かしらの利益を得ようとしているのではないか……」と、こう思う。そして、「この人とは議論をする意味がない」となるわけです。

いわゆる文系の人の行動をじっとみていますと、何が真実かということをあまり重要視しないように感じられることがよくあります。真実よりも「自分はどうしたら得をするか」「自分の考えをどうしたらみんなに信用させることができるか」という、科学者的な考え方とはまったく別の見方をしているように思うことがあるのです。

それが悪いというわけではありません。世の中をみるときに、文系の人はどちらかというと「この世の中にはいろいろな事実がある。科学的なこともいろいろある。しかし、現実社会はそんなことで左右されているわけではなく、人間関係であるとか、損得勘定や騙し合いなどによって成り立っている」と、考えている人が多いのではないでしょうか。

しかし、科学者はこうした考え方をしません。できるだけこの世の中をデータでみて、正確にみたそのままを議論する。一人ひとりの意見は違っても、そうすることで十分にコミュニケーションは取れる、と考える。

事実を明らかにするということはとても大変なことです。それだけでも精いっぱいなのに、その上にウソや騙しだとか、どっちが有利とか、そういうことまで考え出したらとてもやり切れないと、こういう気持ちに科学者はなるのです。

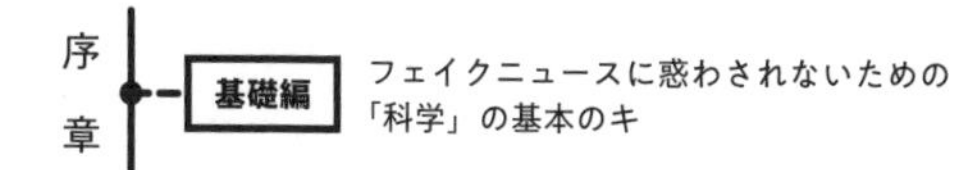

以上が、科学者がカッとくるときの状態です。

ですから、科学的事実に対して意見が異なるとき、科学者はカッとなりません。たとえば、一つのデータがあったときにそれに対する読み方が異なるということでカッとくるのであれば、それは科学者としては信用できません。先に記したように、科学というのはデータによって自分の考えを変えなければいけないという性質を持っていますから、データを基にした議論においてカッとくるのであったなら、その人は本物の科学者ではない。

逆に科学者でない人は、自論自説の補強のためにデータを利用したいと考えますから、議論の相手がそれと異なることを言ったときには、それがいかに理論として正しくても聞く耳を持たずにカッとし始めます。

こういった点も、「真実を見分ける」もしくは「似非科学的な内容で騙されない」ためには極めて重要なことなのです。

原則その⑥

科学に「ウソ」は通用しない

最後に**「科学にウソは通用しない」**ということに関して、一般社会の見方と科学者の見方の違いについて記しておきます。これが、6つ目の原則です。

これについては、2014年に起こった「STAP（スタップ）細胞論文事件」を例として説明していきたいと思います。

「理化学研究所のある研究員がSTAP細胞に関する論文を……」、これは分化しない固定した細胞が、ある簡単な刺激、たとえばpHの低い液体で接するというようなことをすると原始化（元に戻って分化）する細胞になるという画期的な内容の論文を科学誌『Nature』に発表しました。

細胞の原始化というようなことが本当に起これば、これは多方面に展開できることです。

になります。まずは、NHKをはじめとしたテレビが、続いて新聞などが報道しました。毎日新聞などは3面も4面も使って大きく報じていました。これが1月末のことです。

ところがそれから1週間くらい過ぎたときに、インターネットなどから「あのSTAP細胞の論文はインチキではないか」という指摘の声が上がり、それがものすごく大きな社会問題となりました。

マスメディアは毎日のようにSTAP細胞論文の件について報道をし、そのうちに発見者は記者会見を開くまでになり、ついには関係者のひとりが自殺するという大事件に発展しました。

この一連の流れにおいて、社会はどのような反応したかというと「STAP細胞そのものの自体が本当かどうか、再現性はあるのか」というようなことを非常に問題にしました。

しかし、私は終始「そういう問題ではない」ということを主張していました。なぜなら、科学というのはウソが通用しないからです。

では、一般的な世の中ではウソが通用するかというと、一応は通用します。人を騙してお金を盗るとか、逃げてしまうとか、そういうことがたびたび起こるために「人間はウソをつくものだ」と思っている人がたくさんいるはずです。

その感覚の延長で「人はウソをつくものだから、科学でもウソがあるのだろう」と考えてしまうのでしょう。

科学においては毎日のようにものすごい数の論文が出され、何万という研究結果が発表されますから、数年に1度ぐらいはウソをつく人が科学者の中にも確かに存在します。

ですから「科学にウソはない」などと私が言うと、「そんなことはない、これはどうだ、あれはどうだ」と有名な科学のウソの事例を出してくる人もいます。

それはまあそうなのですが、しかし科学においては大前提として「ウソが通用しない」という原則があるのです。それは、人間がウソをついても、錯覚していたとしても、科学においては〝真実〟がやがて表れてくるからです。

誰もが知る有名な事例で言えば、ガリレオ・ガリレイの「地動説」です。

ガリレオが望遠鏡で天体を見るまでは「天動説」、つまり地球が宇宙の中心にあって、太陽とかほかの星はみんな地球の周りを回っているのだと考えられていました。地球

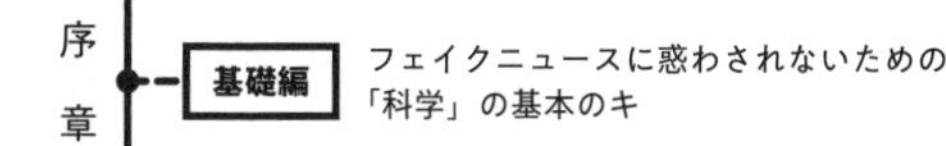

には神様がいるのだから「当然、地球が中心」であって、他の天体は地球の周りを回っているのだという考えだったのです。

この天動説がウソかというと、ウソではありません。その当時、科学的にもそこまでしかわかっていなかったので、みんながそのように思っていたというだけのことです。

ところが、ガリレオが望遠鏡で土星の動きをずうっと観察したところ、どうも地球が動いているとしか考えられない。そこでガリレオは「宇宙の中心は別のところにあって、地球が動いている」と主張しました。すると宗教裁判にかけられ、「ガリレオはウソをついている。不届き者だ」と牢獄（ろうごく）に入れられることになりました。

それから400年ほど経った今、ほとんどの人は「地球は宇宙の外れにあって、太陽の周りを回っていて、地球はその中心ではない」と考えているでしょう。

ガリレオが地動説というものを唱えたとき、それが本当かウソかというのは、宗教的にはともかく、科学的にはあまり重要な議論ではなかったということがわかるでしょうか。事象を科学的に追究していけば、何がウソで何が真実かは、いつか明らかになることなのです。

ある科学的な発見がウソであったとして、もしもそのときの社会に非常に大きな損害を与えるというようなことであったならば真剣に議論をしなければいけないのは確かです。しかし、これからも研究が続けられるというのなら、そこは科学者に任せて放っておけばいいのです。

そうするうちに、宇宙のことで言えば人工衛星が打ち上げられたり、ガリレオが見ていたものよりも遥(はる)かに素晴らしい望遠鏡ができたりします。アルベルト・アインシュタインのような人が出てきて、相対性原理などの新しい理論も発見されます。

そうして宇宙というものはどういうものか、地球はその中でどういうものかということがだんだんとはっきりとしてくるのです。

ですから最初にガリレオがウソをついていようといまいと、それは科学には関係ありません。もしもガリレオの言ったことによって何か行動を起こす人がたくさんいたときには、(ガリレオ説が間違っていた、行動を起こした人たちが被害を受けることになるので) その人に対しては「ガリレオの考えや観測は未熟なので、それを盲信しないほうがいいですよ」と助言をする。

これをSTAP細胞にあてはめますと、STAP細胞というのが本当に存在するのか存在しないのかは今でもわかりません。

ＳＴＡＰ論文がウソか本当かなどとマスコミで騒ぎ立てなくても、ほかの人が追試をしても結果が出ないということが10年も20年も続けばそのうちＳＴＡＰ細胞自体が忘れ去られてしまうというのが科学的な常識なのです。

まあ私なども随分と論文を書いてきましたが、あとになって心の中で「あの論文は間違っていたかなぁ」と思うこともある。しかしそれらは間違いを故意にしたのではなく、そのときの自分の知識ではそう結論したというだけのことです。

要するに、なぜ私たち科学者が故意にウソをつかないかというと、ウソがバレることがわかっているからです。

自分が論文を書いてそれで終わりというのであれば、ウソでごまかした論文を書いて大学の教授になって、それでいけるということもあるでしょう。しかし文系の論文ならまだしも、科学の論文においては追試によって実験検証されればウソか真(まこと)かは明確に答えが出てしまいます。

ですからＳＴＡＰ細胞のときに私は一所懸命に言ったのですが（研究者の年齢がまだ30歳ぐらいだったので）、30歳ぐらいの科学者でウソをつく人がいないとは限りませんが、仮にウソをついたとしてもどうということはないのです。

その論文が、やがて本当だったということになればそれは非常にいいことでしょう。もしもウソや錯覚だったとしても、それはそのうちに忘れ去られるだけのことです。あの騒動に乗じて一所懸命に「ウソだ」と主張をして、本や論文を書いて何か受賞もした科学系の新聞記者がいましたが、そんなことはまったく必要がないのです（『捏造（ねつぞう）の科学者』毎日新聞科学環境部・須田桃子著、大宅賞受賞）。

もしもSTAP細胞論文がウソであれば、それはその30歳の研究者の研究者生命を奪ってしまいます。もう研究の領域で活躍することはできません。だから普通に考えれば、30歳の研究者がウソを言うとは考えづらく、おそらくは何か錯覚したことがあったのだろうと捉えるべきだと私は思います。そしてそれは放っておけばいいのです。

当時は大騒動でしたから、私はすぐにその論文を自分で読んでみました。追試をしたわけではないので真偽についてはわからないものの、読んだ感想としては「あぁ、なかなか立派な論文だなぁ」「書いてあることも筋道が通っているなぁ」というものでした。

そのころ私はよくテレビに出ていましたから、ある番組内で「STAP細胞の論文はとくに問題はないですよ」と言うと、他の出演者全員が「そんなことはない。あれはウソだ」と私に反論してくるのです。

そこで私が「どうしてですか？　結構いい論文でしたよ」と返答し、そこにいる方々に「論文は読みましたか？」と尋ねると誰も読んでいない。論文を読まずに、その論文がウソであると言い、その根拠は「誰かがそう言っていた」というだけのことなのですね……。

ともかくここで重要なのは、繰り返しますが「科学にウソは通用しない」ということです。

第1章

検証編①

主要メディアに多数登場する、平気でウソをつく人々…

——地震予知とダイオキシン問題

地震予知

「利権」のニオイを感じ取った、地震学者と官僚

前章では、科学的なウソや間違いに気づくための「6つの原則」を簡単に整理しました。

ここからはより具体的に、科学的なウソというものがどういうところから発生し、その被害を 私たちはどのように受けているのかということを検証していきます。

これまでに大きな社会的問題になった事象を取り上げ、「科学的見地から、それらのどこにウソやゴマカシがあるのか」を指摘していきます。その内容は、おそらくみなさんがこれまでに「真実」として考えてきたこととは大きく違ったものになるでしょう。

今まで「A」と考えていたものが実は「B」であった――ということがわかるのは非常に重要なことで、そこに本書の価値があると思っています。

昨今はテレビが視聴率を確保するために、「科学的には間違いであってもかまわない」というような時代になっています。私は「テレビウイルス」と呼んでいるのですが、そういうものに対して私たちは注意しなければいけません。

世間の常識のように語られていることが実は間違っている、あるいはウソなのだということを知ることによって、自分自身や家族の財産を守ることもでき、日本の将来などを正しく判断することができるのです。

さて、最初に取り上げるのは「地震予知」です。

地震を予知できると思っている人は多いのですが、実は地震を予知しようという動きが起こったのはそれほど昔のことではありません。

第二次世界大戦が終わってからある程度社会が落ち着いてきて、1960年代に入ると日本の高度成長期、つまり産業の発展が本格的になりました。

戦争のあったころにはいつ自分が死ぬかわからないというような状態でしたが、それがかなり安定してきて「一億総中流社会」と呼ばれるような時代になると、多くの人たちが家族の命や財産などを守りたいと考えるようになります。

そんな時代に、「松代群発地震」が起こりました。1965年からおよそ5年半にわたって頻繁に長野県の松代あたりで地震が起こり、それをマスコミが連日のように「また地震だ、また地震だ」と報道しました。

すると世の中では、まず「地震が起こる」ということを日常的に意識するようになります。そして、それが「自分たちにとって非常に身近な危険である」と考え、これに「どうにか対処しなければいけない」という機運が持ち上がります。

このような状況下で、東京大学を中心とした専門家たちが「地震対策の研究は、お金になるのでは？」と考えたのではないかと私は推察しています。

そして、専門家たちが「地震は予知できる」という理屈をつくった上で、地震が起こりそうな地域を指定し、そこに多くの「地震計」を置いて観測をすることになりました。

その観測値は時期を見計らって発表されました。それと並行して1969年に「地震予知連絡会」というものを設立し、その事務局を「国土地理院」に置きました。

国土地理院は、国土交通省に置かれた特別の機関です。簡単に言えば、国の下請け機関のようなもの。その中に地震予知連絡会なるものをつくり、観測値などから「地震が起こりそうだ」と推定されたときには、地震学の権威と言われる人たちが直ちに集合して、3日以内に地震が起こるかどうかの判定をするというシナリオをつくったのです。

このシナリオは、計画の綿密性やレベルをみると国交省のかなり頭のキレる官僚がつくったものだと思われます。要するに、新たな「利権」を創出したのです。

さらに、1880年に設立されていた「日本地震学会」が活動を活発にし、松代群発地震以降は、地震の予知に関する発表があり、公益社団法人となって今日に至っています。

「東海地震」が注目されたのは、東京に近いから!?

その中に極めて注目すべき発表がありました。

当時、東大のまだ若い先生が「静岡県沖で大きな地震が起こる」、つまり東海地震の可能性について学問的な発表をしたのです。この発表は、たくさんのマスコミに取り上げられることになりました。

発表はあくまでも「可能性」についてであり、学問の社会では未知のことが発表されることはいくらでもあります。それが専門家の間だけで意見交換をするのはかまわないのですが、そこに新聞やテレビが入るとたちまちのうちに無茶苦茶なことになってしまいます。

発表した先生自身もそうした世論の流れに翻弄されたところもあるのですが、「東海地震が起きる」ということが、まるで既定の事実であるかのように広まっていきました。

そして世論は「東海地震が迫っている」ということと、「関東大震災から50年ほど経っているので、大地震が東京で起きるのではないか」という、この2つをミックスして不安に陥ったのです。

この「東京か近県で大地震が起こるかもしれない」ということが、地震予知における最初のポイントとなりました。首都圏直下型地震といった大きな地震が東京にやってくる。もしくは、静岡県沖の東海地震が発生する……。

ほとんどの大手マスコミも東京に本社を構えていますし、もちろん官庁も東京です。オピニオンリーダーと言われる地震学の権威や解説者たちも、そのほとんどは首都近郊に住んでいます。そうしたこともあって首都圏直下型地震や東海地震というものがものすごく強い関心を呼ぶことになったのです。

私はちょうどそのころ、高校から大学に進学したぐらいだったのですが、よく報道され始めたころは「毎日、乾パンと防空頭巾を枕元（まくらもと）に置いて寝る」というようなところまで世論は暴走していったのです。

当時、大地震については、次のような解説がなされていました。

《地球は流動性のあるドロドロしたマグマの上に、薄皮のように現在の我々が住んでいる土地の岩盤が乗っかっているという形になっていて、マグマが対流活動で移動するとその上に乗っている大陸や海洋も移動することになる。そうして移動をしたときにはどこかでぶつかって、またマグマのほうへ沈んでいくという循環がある。

その循環のちょうど辺縁にあるのが日本列島で、日本列島の東側の太平洋底には海岸線と並行するようにして、最も深いところは8000メートル以上にもなる日本海溝があり、日本列島はそこでマグマに向かって沈んでいくことになる。

このため、日本列島では沈んでいくプレートと、そこに潜り込んでいく大陸との間で極めて強い力が発生して、その潜り込みがある程度強くなると、大陸がバン！　と跳ね返り、それが大きな地震となる》

このときに地殻のゆがみの力は少しずつ溜（た）まっていって、これは「地震のエネルギーが溜まる」とも言われますが、地殻が曲がった状態でじっと我慢するような形になります。

大陸が移動することでさらに曲がっていって、ついには地殻が曲がりきれなくなり、バンと弾けて大きな地震が起こるという解説がなされていて、日本国民のほとんど全員がこれを信用しました。

テレビに出ている地震の専門家がそう言うのだから「そういうものなんだな」と思ってしまうのは仕方がありません。

こうした解説に従えば、地震の起こりそうな関東地方や東海地方に「ひずみ計」を設置して、エネルギーがどのくらい蓄積しているのかを測定すれば地震発生の可能性がわかるということになります。

ある程度エネルギーが蓄積するとそれが跳ね返って地震になるというのは非常に簡単な説明なので、テレビを見ている人たちはみんなこの解説を信用したのです。

地震予知は「政治的理由」で行われる

「地震予知が可能になれば、震災被害が少なくなる」ということで、そこに「政治」が入ってきます。具体的に国交省の予算が決まり、東海地方を中心として「ひずみ計」がどんどんと設置されることになりました。

そうして当初は「御前崎の東方このくらいのところでは何センチぐらいズレた」などというデータが出てきて、話題となりました。

しばらく経つとこれが社会的に定着して、地震予知連絡会のメンバーも決まり、緊急指令で集まる練習などもテレビなどで報じられました。そして、「本当に大地震が起きる可能性がある」と広く考えられるようになり、国からの予算がつきました。

これは「東日本大震災」（２０１１年）が発生した後の現在でも「次は、東南海地震だ」ということで四国沖も含めた南海トラフ大地震に関係しそうなところには大規模な土木予算が下りていきます。

東海地方では、たとえば「緊急時の避難場所」といったところに予算が下りて、次々と整備されていきました。

「地震が起きれば倒れそうな建物を補強する」としたときに、これに反対するような理由はありません。建物がわずかな地震で倒れそうだとなれば危ないですから、そういった建物には「はすかい」をかけて耐震性を強くする。特に、小学校や中学校などは子どもたちにかかわってきますから、これらの補強工事に対して補助金が出るというのはもっともな話で、特に反対する理由はなさそうだということになる。

そうして子どもたちの建物への対策が終われば、今度はビルや公共施設の耐震補強ということになり、永続的に国や自治体からのお金が注ぎ込まれる仕組みができ上がっていったのです。

国庫のお金が出るということは、その仕事をする人がいる土木会社とか建設会社にお金が出るということです。そうすると、そこで口利きをする議員がいて、これが選挙時の票になる。そこのところへ予算をつけた役人さんは天下り先ができる……。

これが良いことか悪いことかは別にして、事実として「利権」と「職」が発生することになります。

しかも地震の対策ということについては反対する人がいないので非常にスムーズに物事が進むことになります。つまり、「反対がない状態で進む」というところに地震予知とそれに関する対策の活動が巨大化した理由があるのです。

そうしてしばらくすると「地殻プレートが移動してエネルギーが溜まって、そのエネルギーが一定量を越えるとバンと弾けて地震が起こる」ということのほかに「日本列島には活断層と言われる無数の断層がある」ということが言われ始めるようになりました。

この断層というものにも次第にひずみが加算されていきます。このひずみにかかる力にはいろいろあって、火山の場合もありますし、大陸のほうから少しずつ少しずつ押し寄せてくる地殻プレートの力もあります。

もともと日本列島は、中国大陸のほうにくっついていたものが東に移動して現在の日本列島を形成しているわけですから、現在もなおそういう力は働いているのです。

非常に簡単に言いますと、新潟のほうの日本海側の海岸線というのは少しずつ東に進んでいきます。そして太平洋側のほうは少しずつ海のほうへ移動しますから海岸が少しずつ増えていきます。

1年に1センチ移動したとして、その分だけ内陸にひずみが溜まっていくことになります。このひずみのエネルギーが新潟県とか長野県、茨城県というところに溜まって、そこの断層が非常に不安定になる。

エネルギーが溜まっていくとある程度のところで我慢ができなくなってバチンと断層がズレるというのは地殻プレートによる地震と同じです。そうして断層がズレることによって局地的な地震が起こるのです。

関東の地震の多くはプレート型の地震ではなくて、断層による直下型の地震であると説明がされるようになり、そうするとテレビや新聞はまたしばらく、その地震の新しいメカニズムについて大量の報道を始めました。

そうすると、今度は断層型の地震による被害を防がなければいけないということになり、東京や内陸で地中に断層があるところのビルなどで補強工事が行われるということになったのです。

誰も予知できなかった「阪神淡路大震災」

1995年1月17日、早朝の5時46分に「阪神淡路大震災」が起こりました。断層型地震としては歴史的にも最大級のものでした。

関西というのはそれまでほとんど大きな地震が起こったことがなく、よく関西の人は「東京の人は地震に慣れているけど、関西は慣れてないから」というような話をしていたものでした。

そんなところに阪神淡路大震災が起こって神戸市を中心として非常に大きな損害を出しました。当時は自社さ連立政権だったのですが、村山富市首相は午前6時ごろに地震が起こったのに、午前10時頃になっても「何か関西で地震が起こったんだって?」というボケた対応をして大きな顰蹙(ひんしゅく)を買うことになりました。

いずれにしても、大きな地震がそれまで全然予想していなかった阪神淡路のほうで起こったということは衝撃的な出来事でした。

ところが、地震を研究している人たちは、自分たちが地震の予知で膨大な利益を得ているものですから、のんびりとしたものでした。

大震災が起きたときにたいていは地元の大学、このときは阪神地区での地震ですから大阪大学や神戸大学というところの地震学者が現地調査に出ていくのですが、なんといっても日本の地震研究においては東大の地震研が力を持っていましたから、このときに東大地震研と京都大学で調査を独占するという科学的にも変なことが行われました。

今は科学の世界において、本当に科学に興味があって純粋でお金にこだわらない学者というのが非常に少なくなってきています。多くの学者が極めて政治的な動きをするということが、地震予知を混乱させてきたのです。

このときも、阪神淡路大震災があったにもかかわらず、地元の大学があまり調査にかかわれない。そして一説によると、この阪神淡路大震災の調査の研究費の配分についてもかなりの暗躍があったと言われています。

なぜ、頻繁に「大地震」が起こるのか

地震予知というものが極めてあたりまえで、日常的にも震度4とか5ぐらいの小さめの地震であっても携帯電話が地震の緊急警報を受信して警告音が鳴るというように、日常生活と地震予報が一体になっていますが、これはごく最近のことです。

阪神淡路大震災が起こる前までは、大きな被害をもたらす大地震というものの世間的なイメージは「何十年かにいっぺん起きる」というぐらいのものでしたから、まさか毎日のように地震の警報にびくびくしなければならないなどとは考えていませんでした。

ところが阪神淡路大震災で直下型の断層地震が起きてからは、続いて新潟では2004年の新潟県中越地震と2007年の新潟県中越沖地震、北陸のほうでも2007年に能登半島地震、東北や北海道のほうでも2003年の十勝沖地震をはじめとして規模が大きめの地震が立て続けにいくつも起こりました。

そして、それらの多くはいわゆるプレート型の地震ではなくて、地下の断層がズレて起こる断層型地震でした。

もちろんかなりの被害が出ましたし、またマスコミにおいては通信関係が発達し、ヘリコプターによる空撮なども行われるようになったことで、被害がそれまでよりも大きく見えるようにもなりました。

このため世間の多くの人々は、阪神淡路大震災からほとんど毎年のように大地震が起こっているような錯覚にとらわれることになりました。


そして、2011年3月11日に「東日本大震災」が起こります。

この地震は非常に特殊で、プレート型というものがいちばん起こりやすい東北沿岸の少し沖合で起こったわけですが、現在の研究では「3カ所ぐらいのズレが同時、もしくは逐次的に起こって大きなエネルギーを持った地震に発展した」とされています。

発生当初はマグニチュード8・4〜8・5と発表されましたが、その後に修正されて9・0のエネルギーを持つ大地震だということがわかりました。

マグニチュード9・0ぐらいのレベルの地震というと、これはもう千年に一度ぐらいの地震であり、やはり三陸沖においては西暦869年に起きたと推定される「貞観（じょうがん）地震」以来となる非常に大きな地震でした。

津波が押し寄せて次から次へと家屋建物を飲み込んでいって、死者と不明者を合わせて2万人近くの方が被害に遭い、続いて福島の原子力発電所が爆発事故を起こすという、本当に衝撃的な、私の長い人生でも戦争に次ぐ大きな災害となりました。

多くの日本人にとっても、この震災によって極めて強い恐怖心が心の中に植えつけられることになったのです。

しかし、ここで問題となるのは「なぜ東海地震が起こらず、東北で地震が起こったか？」ということです。

地震観測網としては、東海地震に関するものがいちばん多かったのですが、もちろん東北の沿岸部にもエネルギーの蓄積を測定する装置はありました。

早期に津波を検出する装置……沖合で地震が起きると続いて津波が来ますから、ブイのようなものを海に浮かせておいて陸に津波が届くよりもかなり前に検出するものです。これは東海地方に一番多く、四国沖にもかなりあったのですが、東北地方は地震の可能性は低いだろうということでほんの少ししか設置されていませんでした。

そういう状態で地震が起きたわけです。

その結果、ものすごい被害が出ました。

その後にも断層型地震が全国で次々に起こり、中でも印象的なのは熊本で2回ほど大きな地震が起こり、震度7までいきました。

だいたい日本の家屋は震度6ぐらいまでは大丈夫なように設計されています。ただし家が潰れなくても家の中に背の高い箪笥があったり、さらにその上に重たいものなど乗せているとそれが落下してきて人がケガをしたり亡くなったりするというようなことがあります。

かなり老朽化した家だと、家が潰れないまでもひずんでしまって外に逃げ出すことができなくなるという問題もあります。

家が潰れてひとまずどこへ行くかというときには避難所もありますが、自家用車の中で家族みんなで過ごすという人もいて、ほとんど身体を動かさないために、それで血管が詰まって血栓でお亡くなりになるという二次的な被害も出てきます。

そうしたことが起きたために、さらに地震に対する関心が高まって、現在のように地震の初動を検知して携帯電話に警報が鳴るというようなシステムまで整備されることになりました。

実は、地震を予知することはできない!?

ここまで地震予知の実例をみてきましたが、大きな結論を言うと、残念ながら「地震予知」はできないのです。なぜでしょうか。

地震というのはエネルギーが溜まって、それが耐え切れなくなりバンと弾けることで発生するわけですが、測定すればエネルギーの大きさ、つまりひずみの大きさがわかるという基本的な理論が間違っているからです。

これは地震学会が間違ったというよりは、むしろマスコミが間違って伝えたという部分が大きい。そこにいかがわしい学者と天下り先が欲しい役人が連携したという構図です。

地震が発生するメカニズムはすでに明確にわかっていて、これはエネルギーと岩盤の中にある亀裂(きれつ)の大きさの2つで決まります。

みなさんの日常的なもので言えば、たとえばラーメンの袋や醤油の小袋などのビニールの袋に包まれたものを手で割こうとするときに、「ノッチ」というVの字型の傷が入っています。そのノッチのあるところからは容易に袋を開けられますが、そういうものが何もない平らなところから開けようと思っても伸びてしまってなかなか開けられません。

地震の原理はこれと同じです。モノが破壊されるときには力の大きさと傷の大きさの2つがかかわってきます。破壊のエネルギーと傷の曲率半径、簡単に言えば「ひずみの大きさ」と「傷の大きさ」で決まるということです。

地殻に溜まったエネルギーと、地殻にできた傷の両方を正確に計測できるのであれば地震予知も可能になるでしょう。

しかし現状をみると、「エネルギーが溜まっている」と言われる東海地方では大地震が起こらず、東日本大震災や熊本など内陸の直下型地震が起きたりしているところをみると、地震学は到底予知できるレベルまではいっていないと考えられるのです。

「地震対策」は自分自身でするしかない

ここまでのことを理解したうえで、私たち一人ひとりが「地震対策」をしなければなりません。

プレート型地震にしても直下型地震にしても、大きなものでは震度7、まあまあのときには震度6の地震が、いつ起きるかはわからない。そのときにどのような対策が必要でしょうか。

家を建てるときにはだいたい震度6から6・5ぐらいに耐えられる家を建てて、家具を置くときとか日常生活はやっぱり震度6から6・5ぐらいの地震が起こることを普段から想定してあまり高いところに重いモノを置かない、背の高い箪笥は置かないというような工夫をしておいて、いつ地震が起きても大丈夫なようにしておく。

国土交通省が発表しているハザードマップは関係がありません。NHKなどがやっている地震速報もほとんど関係ありません。大切なことは、日本列島に住んでいる限り「いつ地震が起きても大丈夫だと、通常震度6強と言われる震度6から6・5未満については備えておく」ということなのです。

なぜこのときに震度6・5以上のいわゆる震度7を省いているかというと、震度7となるとこれはほとんど起こらないというぐらいに稀だからです。

東日本大震災においても、実際に震度7が観測されたのは宮城県栗原市だけで、他の地域は震度6強かそれ以下でした。ですから震度7の地震に遭う人といったら、100年に1度、日本人の1000人に1人ぐらいという感じになるでしょうか。

たとえば、日本人が生涯で交通事故に遭う確率は4人に1人と言われていて、その他の自然災害に遭う確率などとも比べたときに1000人に1人というのは非常に低い確率です。

繰り返しますが、現状の日本において、地震予知はできません。

地震予知はできないのに、なぜそれができるかのように報道されているのかと言えば、その理由は単に予算配りのためだけなのです。

地震予知ができるという雰囲気をつくることで、国の税金を耐震補強などの予算として使うことができるようにするために、NHKが地震警戒速報を流したり、地震予知の放送をしたりしているに過ぎません。

そういうことをはっきりと頭に入れておくことが、自分および自分の家族を守るということになります。

地震予知は絶対に当たらない。

しかし、必ず地震は起こる。

この2点を調和させて、自分の生活に活かすということが重要なのです。

ダイオキシン

新型コロナウイルス禍に似た「ダイオキシン騒動」

「ダイオキシン」というと、30歳以上の人ならば誰でも聞いたことがあるでしょう。１９９５年から２００５年あたりまでの約10年間、現在の新型コロナウイルスと同じくらい、テレビをつければダイオキシンという騒ぎ方でした。

科学というのは一般の人からするとその真の内容がわからないために、新聞やテレビが無責任な態度で報じたときには、ものすごく大きな事件にされてしまうことがあります。

ダイオキシン騒ぎというのはまさにその典型で、テレビでは〝史上最強の毒物〟などといって繰り返し放送されました。中でも多くの時間をさいて放送していたのが、久米宏さんがＭＣをやられていた「ニュースステーション」（テレビ朝日系）です。

そこでの報道が善意だったか錯覚だったかはわかりませんが、とにかくダイオキシンが非常に毒であるという報道を連日流していました。そのおかげか「ニュースステーション」の名前が世に知れ渡り、ニュース番組としては断トツの視聴率を稼ぎ、久米さん自身も「ニュースキャスター」として名を馳せることになりました。

この番組では、ダイオキシンの毒性ということを極めて強調した報道がなされて、その結果としてものすごく多くの人を不安に陥れ、日常生活においても庭の焚火が禁止になり、家庭用小型焼却炉の使用も禁止になるという状況が起こりました。


ところが、これが間違いであるということが判明します。２００３年から２００４年にかけてどんどん報道が縮小されていき、ついに２００５年以降はダイオキシンの報道がなくなりました。

この世からダイオキシンがなくなったから、報道も減ったということではありません。

ダイオキシンは自然にも発生しますし、山火事などでも大量に発生します。

実際にダイオキシンの量は、毎日のように報道をされたときとほぼ同じ量がその後も世界に存在しています。つまりダイオキシンはそのままあるのですが、報道だけがなくなったのです。

そしてダイオキシンの総量は変わっていないのに、ダイオキシン報道がなくなってからは世界的にもダイオキシンによって健康被害を受けた患者というのは出なくなりました。

その以前には、ウクライナの大統領選挙において大統領候補が毒物としてダイオキシンを盛られて障害になっただとか、ベトナム戦争でアメリカ軍が使った枯葉剤に含まれるダイオキシンのせいで奇形の子が生まれたなどと、いろんなことが言われていたのですが、今ではそうしたことはまったく聞かれません。

ダイオキシン問題で、一儲けしようとした人たち

1972年にダイオキシンは「動物に対する毒性がある」ということが発見されました。

ただし、今ではダイオキシンが動物に対しては毒性があるけれども、人間に対して毒性がないということの理由はわかっています。

ダイオキシンは火を使うことによって発生します。

かつて人間が火を使わなかった時代には、人間がダイオキシンに対して弱かった可能性がありますが、火を使うようになってからは常にダイオキシンにさらされてきましたから、ダイオキシンに対するレセプター（受容体）が体内にあって、ダイオキシンが体内に入ってくるとそれをカバーするという作用を備えています。

ですから、動物に有害だから人間に有害ということはありません。

ある物質が、ある種の生物には害をなしても、他の生物にとっては無害であるということは、生物界ではよくあることです。

たとえば、酸素がなければ人間はすぐに息が詰まって窒息死してしまいますから、人間にとって酸素はなくてはならないものですが、しかし逆に酸素が猛毒になる生物も存在します。

亜鉛のような例もあります。亜鉛は人間にとってある程度は必要ですが、一定量を越えてしまうと毒物になります。

また、ヒラタカゲロウというカゲロウの一種は亜鉛がちょっとでもあると死んでしまいます。

このように動物の種類によって毒物というのは大きく違うので、ある動物に毒であることと人間にとって毒であるかは別問題なのです。

ところが、1972年の発見が比較的センセーショナルだったために、それから20年くらい経ったころには、ダイオキシンが毒物として世の中で知られるようになりました。

1990年のあたりになると、ダイオキシンで一儲けをしようと考えた科学者の一団が現れました。その人たちが「ダイオキシンは猛毒である」という説を唱え始めたのです。

そして、1995年ごろにはこれが社会的な活動になります。

「ダイオキシンを止めなければいけない」ということでその発生源を研究する、もしくはダイオキシンの分析方法を検討するというような研究がものすごく進み、ダイオキシンの研究さえすれば研究費が得られるということになりました。

これは地震予知にしてもダイオキシンにしても、この後で触れる血圧やコレステロール、タバコなどについてもそうなのですが、現代の科学の研究は学者が自由にテーマを選ぶのではなくて、国がこの方向に研究を持っていきたいと思うとそこにお金を配るという形になっています。

これに対して学者はというと、いつもお金がないために、国からお金がもらえるのならそれをやろうと考えることになります。

本当に、ダイオキシンは人体へ悪影響を与えるのか

かくいう私もそうでした。1995年ごろになって周りがみんなダイオキシンの研究費をもらっているので、私も研究費をもらおうかなと思ってダイオキシンの本を何冊か買って読みました。

しかし、そこでビックリしました。当時ベストセラーだった何冊かの本には、人間に対するダイオキシンの毒性データがまったく示されていなかったからです。

「健康被害のデータがゼロなのに、なぜこんなにテレビで騒いでいるのか?」と非常に奇異に感じ、関係学会などにも顔を出して聞いてみたのですが、専門家の間ではダイオキシンの毒性についてそれほど議論がなされていない。

しかし自分が研究する限りは、本当にダイオキシンが毒物でなければやる意味がありません。

研究費がもらえるからというだけではいけないので、それから本格的に論文を調べ始めました。考えてみれば最初に私の読んだ本は一般向けの本で、専門書ではありませんでした。

そこで1999年から2001年までに連続的に出た論文、だいたい100本ぐらいを読んでみたのですが、その結果、人間に対する毒性は非常に弱いということがわかりました。

テレビや新聞の記者は私のように科学論文までは読んでいなかったかもしれませんが、それでも私が最初に読んだうちの1冊は岩波新書だったように記憶しています。そういう普通の本ですから、これくらいは当然テレビの制作者や新聞記者も読んでいたでしょう。

そこには人間に対する毒性データがないのは明らかです。少しでも科学の知識があれば、毒物というものは種によってすごく異なるので、人間とサルでも効果は違いますし、哺乳（ほにゅう）動物でなければ全然効果が違ってくるということは知っているはずです。

しかしそれがそのまま、あんなに大きな社会的問題になったのはどうしてなのでしょうか……。

日本には240万人の技術者がいます。よく「科学のことはほとんどの人が理解していませんから」という人はいますが、少なくとも240万人の人は科学の基礎的な部分についてはよく知っているわけです。

工業高校、高等専門学校、大学の工学部、理学部あたりで教育を受けた人はそのような素養を持っているのですから、そういう人たちがこれを読んだときに、その全員とは言わずとも半分ぐらいは「ちょっとこれはおかしいな」というふうに思うはずです。

新聞社やテレビ局でも技術系の人は何人もいて、放送するときにはいろいろと多方面から検討をするでしょう。

そのときにダイオキシン関連の書物に人間の毒性データが書かれていないとなれば、これを放送して大丈夫だろうかということを言う人は必ずいるはずです。

「政府が言っているじゃないか」というようなことだけで報道に至るとは考えられません。それなのに誰も気づかなかったというのは実に奇妙な話です。

では、これはどういうことなのでしょうか。

それはつまり、マスコミが毒物だといってはやし立てて、それを研究費の欲しい大学の先生方がバックアップし、それに評論家がついていったという構図に過ぎなかったのです。

そうしたダイオキシン騒動の全体像を私が理解したのは1998年ぐらいのことでした。

しかしそのころには、各自治体が「ゴミの焼却炉をどうするか」ということでものすごく大きな騒ぎになるなど大きな社会問題にまで発展していました。

それまでは、家庭用小型焼却炉などに市町村が補助金を出して「市のゴミの焼却の負荷を減らすためにできるだけ家で焼いてください」などと呼びかけていたわけですから、こうした方針の転換は予算の問題などいろいろな障害が生じることになります。

しかし人間への毒性については誰も指摘しないまま、テレビ朝日を中心としてどんどんダイオキシンへの恐怖が煽(あお)られていきました。

私がダイオキシンに関する論文を読んだところ、1972年に動物に対する毒性がわかったものの、人間に対して急性の毒性がほとんど見られないということはすぐにわかっていました。

そこで問題は慢性の毒性ということになったのです。たとえば、胎児への影響であるとか発がん性であるとか、そういった問題の有無について研究がなされるわけですが、1999年から2001年にかけて人間に対する慢性毒性の研究データが出てきたものをみると、毒性が非常に弱いということがわかりました。

それで、そのころに私がテレビで「ダイオキシンは無毒です」と言おうとしたら、そこにいた某評論家に「武田先生、無毒というのはちょっと言い過ぎでは？　どんなものでも少しは毒性があるでしょう」と言われたことがありました。何かダイオキシンは毒物だと言わなければいけないという同調圧力があったのです。

それで私も「微毒だ」と言ったのですが、この意味するところは「砂糖や塩でも摂り過ぎれば身体に毒になる」というのと同じようなことです。

人々を「不安」にさせる、フェイクニュースの大罪

その後の論文をみても、やはりダイオキシンの人間に対する毒性は非常に弱いということが書かれていました。

そのころに私がよく言っていたのは「ダイオキシンが猛毒ならば、やきとり屋の主人はみんな健康被害に遭っている」ということでした。

「ダイオキシンは火を使うことで発生します。鶏肉という高分子物質に塩をかけて銅の串を刺して400℃から500℃で焼く、これはダイオキシンの製造条件ですから当然大量のダイオキシンが発生する。そのモウモウたる煙の中でやき鳥屋の主人はいつも仕事をしている。けれども、ダイオキシンによる病気になった例がない」というわけです。

そして、2001年には東京大学医学部で毒物専門である和田攻先生が『學士會報』に「ダイオキシンの毒性は弱い」ということを書かれました。

そのときに和田先生は「ダイオキシン騒ぎは科学が社会に負けた例である」としていました。「科学が社会に負けた」というフレーズは私もその後いろいろなところで使わせてもらっています。

科学的に無毒であるとか微毒であるというようなものが社会的な活動、つまり噂であるとか、あるいはテレビウイルスによって猛毒に仕立てられてしまいました。

そんなダイオキシンに対して「史上最強の毒物」と呼んだのはいったい誰なのか。その人間はよくよくダイオキシンについて調べた上でそのキャッチコピーをつくったのか……。

私は以前、多摩美術大学で環境デザインを教えていましたが、そのときによく学生に言いました。

「デザインというのは非常に人に訴える力がある。それも優れたデザインほど人に訴える力がある。しかし、もしも間違ったことをデザインしたらそれは多大な悪影響を及ぼすことになるので絶対にしてはいけない。

たとえば、戦争を煽る素晴らしいデザインを描いたり、誰か特定の人を糾弾するような素晴らしいデザインを描く。それはデザインの力はあっても社会的な害毒を流すことになる。同じようなことは科学の世界でもいつもある。

たとえば、原子爆弾を造ればものすごく多数の罪のない人を殺すことになる。そういうことは専門家としてはよくよく考えなければいけない」――。

残念ながら、ダイオキシン騒ぎもそういうところがありました。

それでもダイオキシンが最強毒物であることを否定する論文が日本でも出てきたことで少しずつその影響が及び始めました。

国会では「ダイオキシン類対策特別法」が成立してしまったのですが、結局2004年になると、ダイオキシン報道が間違っていたということが広く知られることになり、報道自体がなくなっていきました。

そして、それとともにダイオキシンによる健康被害を受けたという患者もほとんど出なくなりました。報道がなくなると病人が出なくなるということは、何を意味しているかというと、「ダイオキシンの健康被害は報道が病原菌だった」という科学的にはまったく信じられないことが起こっていたということです。つまり、人間は身体的および精神的なものであって、身体は病原菌が病気の原因になりますが、精神的には

テレビ朝日は「風評被害」の賠償をせよ!

テレビの誤報が病原菌になることを示しています。

しかし今でも国会で定められたダイオキシンに関する法律の「後遺症」（これも病原菌による後遺症ではなく、テレビによる後遺症）はあります。たとえば、自宅の庭で焚火をすることがほぼ禁止の状態になっています。

これについてはダイオキシン騒ぎをつくり出した人たちがそれを修正する必要があるでしょう。テレビ朝日のように社会のダイオキシン騒ぎを主導した機関は、まず賠償をしていただきたい。

風評によって発生した損害に対する金銭的な賠償をしなければいけないし、検察もこれを告発しなければいけない。

ウソをついて他人を怖がらせたり、金品を損失させたのは、基本的には「詐欺罪」に類するもの。やはり、こういうことは二度と起こってほしくはない。このような大きなウソは、社会的な制裁を受けなければならないと思います。

さらに言えば、騒動の中心的役割を果たした「ニュースステーション」はその後も名称を変えながら番組を続けています（現在は「報道ステーション」）。これほど間違った情報を流した番組が今でも放送されているということは、放送界のモラルがとても低いことを意味しているでしょう。

第2章

検証編②

「健康」を害する、新聞・テレビの脅迫的なニセ情報

——血圧、タバコ、コレステロールについて

血圧

人々の健康を害してきた“高血圧問題”

前章で検証したダイオキシンの問題は、ほぼ無毒のものを「史上最強の毒物」というようなキャッチコピーをつけ、多くの国民を不安に陥れたということは非常に大きな罪であると私は思います。

しかしそれよりももっと奥深く、きちんと考えなければならない問題があります。それらはやはり健康上の問題で、その一つが「血圧」です。

ダイオキシン騒動では、テレビ朝日を中心としたマスメディアがウソを国民にばらまいたのですが、それでも期間として約5年くらいのことでした。

しかし血圧の問題は、それよりも遥(はる)かに長い期間にわたって日本人を騙し続け、時には健康被害をもたらしてきたわけですから、その意味ではダイオキシンよりも悪質です。

悪質なのですが、血圧の問題に関わってきた人たちの中には、それが日本人の健康につながると信じる「善意の人」もいたはずです。「塩を摂ると血圧が上がる」という間違ったことを言ってきた人たちは、ダイオキシンのときのように必ずしも「自分が儲けよう」と思っていたとは言えないところもあるのです。ですからその点は慎重に考えなければいけません。

血圧の問題について考えるとき、まず知っておかなければいけないのは「血圧は年齢とともに少しずつ上がっていく」のであり、それが「人間というものの年齢的な変化にもとづく、合理的な変化」であるということです。

赤ちゃんの肌などをみればすぐにわかるのですが、若いころは皮膚も体組織も非常に柔らかいので、心臓が圧力をかけて全身に血を送ろうとすると血管がプクっと膨らみます。そうすると血管が太いチューブになりますから、圧力はそれほど高くなりません。

ところが、年を取ると血管が硬くなってきて、心臓が血液を送ろうと思ってもそれに応じて膨らんでくれなくなります。50歳ぐらいまでは少しずつ硬くなっていくので、普通は20歳ごろの血圧が120ぐらいだった人が50歳ぐらいになると130とか140とかそのくらいになるわけです。

ですから多くの病気でない人たちの血圧は、だいたい120~140くらいになります。

この血圧が「高くなると寿命が短くなる」ということで「血圧を上げてはいけません」と指導されるようになりました。現在では「血圧180なんてとんでもない」「160でも高い」「140とか130以下にしなさい」などと言われます。

しかし、これは極めて無責任な医療政策であり、そこに金儲けを企んで日本の指導的な医師が絡んできました。

その一方で、誠意のある医師や健康に注意する人たちまで間違った認識を持つようになったという複雑な構造がみられます。

高血圧にも「合理性」がある

先ほどの説明を聞くと、「やはり高血圧はよくないのでは?」と思うでしょう。では、なぜこの考えがダメかを説明しましょう。

「血圧を下げて血管を流れる血液の量を減らしたときに、何が起こるか」ということが考えられていないことが問題です。

血液というのはまず全身に栄養を送ります。それから病気を治す白血球なども送っている。がんにならないように制がん物質を送るということもやっています。

ほかにも血液の役目はあって、たとえば風邪をひかないように免疫系の細胞を送るというようなこともやっているわけです。

60歳の人は血管が硬いわけですから圧力を上げないと血液が全身に行き渡らないので、心臓は血圧を上げて150とか160にする。そうすると血管ももろくなっているから破れやすい……。

しかし、「それだから血圧を下げなさい」となるととたんにおかしなことになってきます。

もしも心臓に「心臓さん、なぜそんなに血圧を上げるのですか。圧力を上げたらこの人は脳出血で死んでしまうかもしれないじゃないですか?」と尋ねたとします。

すると、心臓は「たしかに年を取ってきたので血管にまつわる危険性はどうしてもあります。でも、だからといって血圧を下げれば全身に血液が行き渡らないからがんにもなるし、風邪もひきやすくなります。脳にはたくさんの血を流さなければならないのに、それが滞ると物忘れをしたり、酷いときには認知症になりますから……」と答えるでしょう。

つまり、心臓が血圧を上げてでも血液を全身に送ろうとしているのは「血圧が上がって血管が破れる危険性」と「血の流れが悪くなってがんになったり風邪をひいたり、肺炎になったり、頭がボケたりすること」を見比べ、そういったリスクを比較したなかでのベストな選択をしているのです。

しかし、こういった説明をしたメディアはあったでしょうか。大手マスコミはほとんどの場合、「血圧を上げると身体に良くない。だから血圧を下げなさい」というところで止まったままです。

ここまでは「誠意はあるが、アホな医者」の見解ということかもしれません。ところが世の中には、これに乗じて「お金が欲しい」という人たちが現れるのです。

典型的なのは、製薬会社です。血圧の基準のないときは血圧降下剤の市場というのはだいたい100億円ぐらいでした。

ところが、血圧の基準をいったん160以下と決めたらそのとたんに3000億円になって、さらにそれを10落として150に決めると6000億円。140にすると9000億円にまで増えていったのです。

暗躍する、製薬会社と弁護士

病院に行って血圧が150だったとします。国の基準では140以下となっていますが、有能な医師が診断をし、「無理に血圧を下げれば、がんになりやすいし、風邪もひきやすい。脳もボケやすいのだから、少し高血圧だけれど、この人の全体をみれば血圧は150でいいだろう」と、血圧降下剤を処方しなかったとします。

しかし、その人がその後、日常生活の中で脳の血管が破れて出血してしまったというときに弁護士が寄ってくるのです。

そして、「これは医療ミスだ」という。「もともと国の基準が140以下と決まっているのに、血圧が150であることを知りながら降圧剤を出さなかったのは医者の責任だから、私が医者を訴えて賠償金を取ってあげます」と、こうなるわけです。

そうすると、脳出血した人やその家族は弁護士に依頼をする。裁判官はまったく医学の知識がないので「国の基準が140なのに150なのを見過ごしたのだからこれは診断ミスで2000万円の賠償金を払いなさい」となる……。

そういうことが起こると「血圧は低いほうがいい」という話が強固になって、その論調を無責任にテレビや新聞がサポートします。

ところが、一方ではがんを発症したときに、それが血圧が低かったからだと証明することは難しい。風邪をひいたときにも血圧が低かったことを理由にするのも難しい。認知症になったり物忘れが酷くなっても、それと血圧の関係を証明するのは難しい……。

脳血管が破れればすぐにそれは血圧の問題だとなりますが、その他については因果関係を裁判でも証明するのは難しいので、結局、世の中全体の流れとしては血圧を下げろ下げろとなっています。

要するに、血圧を下げておけば、医者は診療報酬を得られるし医療ミスと言われることもない。製薬会社も大儲け。裁判所も弁護士も話がわかりやすくなって助かる。メディアも血圧問題を煽って視聴率や部数を稼げる――というわけです。

しかし、いちばん被害を受けるのは血圧を下げさせられた本人です。血圧を下げることで血管の病気にはならなくても、その代わりにがんになって亡くなったり、風邪から肺炎をこじらせたり、頭がボケてきて仕事がうまくできなくなったりするのかもしれません。

それは他の誰の損失でもなく、その人だけの損失になるのです。

もうひとつ、深い検討が必要なことがあります。

医師というのは現代社会の中でもっとも明確な「専門職」で、医師は国家試験と長期間にわたる訓練を義務づけられ、その代わり、診断にあたっては専門家として自らが治療の判断をする権限を持っています。だから、若干の「基準」は「推薦される処方」などが決められていても、それにも反して独自の判断ができる立場になると考えられます。

これは大学教授なども同じで、教授会の認証（専門機関の認証）を得て教授になった人は学生の答案を自分の判断で採点することができます。採点基準というものを教授以外の人が決めることはできません。

だから、医師に対する厚労省の基準自体が倫理違反の可能性があり、まして無知な裁判官を利用して医療事故にするのはとんでもないことなのです。

８割の日本人は「塩分」で高血圧にはならない

次に出てきたのが、「塩分」の問題です。

私たちは大所高所のものが「ひとつだけ」ではなかなか意識の形成が難しいのですが、そこに「添え物」のようなものがつくと、「ある考え」がたちまち強固になり「信念」になるという特徴があります。食事のとき、ステーキにつけ合わせがつくとより食欲が湧くというのと似たような感じでしょうか。

血圧の場合では、「血圧が高いのはダメですよ」と言ってもそれだけだと具体的な恐怖は感じられません。「血圧が高いと……」「血管の強さが……」と言っても、多くの人は血管がどういう仕組みなのかということまではわからないからです。

血圧１４０㎜Hgと聞いても余程の人でない限り、それがどのくらいの圧力で、身体にどういう影響を与えるかということにピンときません。ところがそこに具体的なものが加わると、その具体的なものが正しいか間違っているかとは関係なく、対象物がたちまち具象化されて明確になるわけです。

血圧の問題においては、それが「塩を食べると血圧が上がる。ヘタをすると脳溢血で死ぬ危険性がある」というものでした。

血圧が高いと脳溢血で死ぬ危険性があるというのはそれだけで十分に怖いことですが、「そうならないためには食塩を減らす減塩をすればいい」となると、「食塩を少なくすれば自分は血管が切れないで助かるのだ」となり、「具体的な方法を教えてもらえた」ということで血圧の問題が突如として親しみのあるものになります。

そこで非常な勢いで「減塩」が流行になりました。特に、毎日家族の食事を担当しているお母さんは、味噌汁を減塩し、なるべく醤油を使わないようにし、塩辛い漬物を食べさせないように努力します。

そうすることによって、自分が家族の健康を守っているのだという一種の生きがいのようなものも感じられ、国民総出で「減塩！　減塩！」となりました。

そうした話が出てきたときに、私は科学者ですから「みんながそう言っているから」といって鵜呑みにすることはありませんでした。「塩分を摂る量と血圧の関係」を調べたのです。

まず巷に流布される話を見てみると、たとえば青森とか秋田の人は食塩の摂取量が1日に15グラムぐらいと多い。日本の平均は11グラムぐらいで、青森とか秋田の人が脳溢血で倒れる比率が高いのはやはり塩分のせいだというふうに説明されている。

しかし、そのときに「長野県も非常に食塩を多く摂っているのに脳溢血は必ずしも多くない」ということは絶対に言いません。これは人を騙すときの常套(じょうとう)手段です。


つづいて私は、食塩と血圧の関係の論文を取り寄せて読みました。すると「食塩を摂ると血圧が上がる人もいるけれど、それは日本人の場合はせいぜい5分の1ぐらい。あとの5分の4の人は血圧と食塩の関係はあまりみられない」というデータのあることがわかります。

さらに自分でもテストをします。食塩を少し減らして血圧の様子をみる。少し増やして血圧の様子をみるということをやってみると、やはりほとんど関係がないというデータを自分の身体で確認できました。

1990年代の初めから半ばぐらいまで、東大医学部のようなきちんとした研究機関などでも調査が行われていました。やはりそこでも日本人で食塩と血圧に関係があるのは5分の1ぐらいで、その他の8割の人には関係がないということがわかってきました。

醤油や塩、味噌を十分に使って食事をするというのは非常に楽しいこと。ですから、無理に塩分を減らした味気ない食事をするよりも、楽しい食事をすることのほうが重要なのです。今後、時にはむしろ食塩の量は減らさないほうが良いということがわかってくると思います。

ところが、世の中には「減塩教」に憑りつかれて、ほとんど食塩を摂らないような人が出てきます。しかし、食塩というのは化学的には「ナトリウム塩」といい、これは人間の身体に必要なもの。ですから、極端に減らせば神経的な障害が起きたり、血圧が下がり過ぎて脳障害や認知症などになる人も出てきます。

近年、熱中症などが増えているのも食塩不足が原因だとする疑いは非常に強いのです。

「高血圧で死亡」はまやかしである

先述のような検証すべきことがあるのですが、国のほうでは一旦(いったん)やり始めると利権が生じるため、塩分摂取量の目安を1日10グラムぐらいとしていたものを、最近では「6グラムに」とますます悪化してきています。

そして、それに対する補強材料として「エスキモーはほとんど食塩を摂らない」などと言い出したりもする。しかし、なぜエスキモーが食塩を摂らないかというと、獣の肉を主に摂る生活をしているところの人々は、もともと食塩の使用量が少なくて、そういう身体になっているからです。

日本のように周りが海で、魚の干物などを多く食べるようなところはもとから食塩の多い生活をしてきたわけですから単純に比較できるものではありません。

そうするうちにもっと決定的なデータが出てきます。

こういったおかしな状況がずっと続くと、やはり正義感に燃えた人だとか真実を追求したい人の声が上がってくるのです。

ところが、今から10年くらい前になると、さかんに医師のほうから「血圧と寿命との関係はない」という研究結果が出てきました。

いちばん決定的だったのは、年齢別のグループに対して、血圧を横軸に取って、縦軸に死亡率と取ったところ、血圧と死亡率の間に関係がないというデータが出てきたことです。

そうすると今まで使っていたデータは何だったのかと見返すと、年齢別ではなかったのです。

年齢別ではないグラフで横軸に血圧を取って、縦軸に死亡率を取ると、血圧が高いほうが死亡率が高い。それだけを見れば確かに「血圧が高いと死亡率が上がる」というふうにみえます。ところがそのグラフの中には年齢が隠されていました。

つまり「年齢が上がると血圧が高くなる」「年齢が上がれば死亡率も高い」という2つのごくあたりまえの事実があります。これはもう誰もが認識することです。

そのときに、年齢を区別せず横軸に血圧、縦軸に死亡率というように取ってグラフにすれば、年齢については隠れていますから「血圧が高いほうが死亡率は高い」というふうに見える。しかしよくよく見れば、これは「年齢が高いほうが死亡率が高い」ということを言っているのと同じことを示しているだけのことだったのです。

年齢が上がって70歳、80歳になると多くの人が死亡するというのは、みんながあたりまえのことだと思うでしょう。

ところが、年齢のところを血圧に代替して170とか180ということになると「ああそうか、血圧が寿命を決めるのだな」と思ってしまう。しかし実態はそうではなかったわけです。

人間というのは必ず死にます。死の原因は、肺炎のこともあるし、脳出血のこともあるし、糖尿病のこともある。

年を取ってくるとだんだん病気がちになって、そして何かの病気がきっかけになって死ぬ。今の世の中には徳川家康も生きていないし、お釈迦様も生きてはおられないわけです。

ですから人間の死ぬ理由としては天寿、つまり昔は老衰と言ったりしたのですが、老衰で死ぬ場合と、まだ老衰はしていないけれど病気や事故で亡くなる場合とがあるのです。

そのときにがんだとかそういうものは明確にそれが死因だとわかりますが、その他のものになると老衰と何かの病気をそれほどはっきりと区別することはできないのです。

ここで何が言いたいのかというと「血圧が低いほうがいい」とか「減塩したほうが血圧は高くならない」といったような、もう日本社会では当然中の当然と思われているることであっても実は大きなトリックがある。その裏にはお金儲け、もしくは善人であっても非常に錯覚しやすい人、そして知識不足の医師……、そういったものが関与しているということを指摘したいのです。

もしも血圧によって寿命は変わらない、減塩も関係がないということになると、味は自分の好みによって加減すればいいし、血圧がどのくらいになったかということもまったく心配することなく生活することができるようになり、日々の生活は非常に明るくなるでしょう。

タバコ

タバコの害は「息切れ」程度⁉

ここ30年くらいで日本国民が大きく騙されことの筆頭が「タバコ」でしょう。

「タバコを吸うと肺がんになる」ということが大々的に報道されて、今ではついにタバコを吸うことに罰則をかけるような法律もできています。そしてそれはさらに発展して「副流煙のほうが毒性は強いのだ」というようなことまでが言われるようになりました。

タバコ問題の基本的な原因としては、「煙というものが、動物にとって怖いものである」ということです。炎によって焼け死にますから、人間にも原始的に火や煙というものに対して〝恐怖心〟があるわけです。

20世紀の初め、1900年から1920年ぐらいにアメリカに吹き荒れた大麻追放運動も、同じく人間社会における煙に対する恐怖心から生じた社会的な動きの一つだったと言えるでしょう。

タバコの中にはもちろんニコチンやタールなどのいろんなものが入っています。それが肺に入って肺の細胞の一部を弱らせたり、あるいは喉の細胞なども傷みますから咳が出たりします。

ですから「タバコは呼吸器系の器官に対して悪い影響があるのかどうか」と言えば若干は悪い影響があります。

タバコを1日30本以上、30年以上ぐらい吸い続けると、ＣＯＰＤ（慢性閉塞性肺疾患）といういくらか肺胞が傷む病気になります。この病気になると階段をちょっと上ったりするのにも息切れがしたりします。

このように、タバコが身体（心理的なストレスなどを含まない単なる身体）に良くないということは言えます。日本の医師は変な正義感があって、呼吸器系の医師などは「タバコを吸うとＣＯＰＤになるからタバコをやめさせなければいけない」という考えになります。

しかし、医師は第一に病気になった人を治すということが求められるのであり、「タバコをやめさせる」という権限はないはずです。

健康になるための相談を受けたときには、医師としての見識の下で「こういうふうな生活をしたらいいのではないですか」とアドバイスはできますが、もともと医師は故障した身体を治す訓練はしていますが、健康を保持するにはどうしたらいいかということについての訓練を受けているわけではありません。

前述したように、血圧が高いと血管が破れて脳溢血などを起こす危険性はありますが、その一方で血圧が高ければ全身に血が行き渡るので、その結果としてがんにならなかったり風邪をひきにくくなったりする。肺炎にも罹りにくくなる。さらに脳の衰えも防げるということで、血圧が高いということには良い面と悪い面があります。

もちろんタバコにも、良い面と悪い面があります。このように良い面と悪い面があるときには、それぞれを勘案し、「その人にとってどの状態が適切か」ということを考えることが重要なのは言うまでもありません。

世の中「悪いことばかり」ではない

タバコは気管や肺に若干の健康障害を起こします。その代わりに良い面もあります。いちばん影響が大きいのは頭脳です。

頭の中にはセロトニンとかドーパミンという脳の機能を正常に保ついろいろな物質がありますが、ニコチンもその一つなのです。

日本人の4割ぐらいは何かのときに頭が少し混乱する傾向にあります。その混乱というのはドーパミンとかセロトニンといったもののコントロールがうまくいかないためだと考えられています。このときにニコチンが入ると、いわゆるスッキリする感じを覚えます。

このスッキリするという感覚が忘れられなくなって、それが喫煙が習慣性を持つということです。そしてそのときにストレスが解消されたり気分が変わって、そのことで素晴らしいアイデアが閃(ひらめ)いたりもします。

人間の行動において「悪いことばかり」ということはほとんどありません。たとえば甘いケーキを食べたいというときに、それを食べれば糖尿病の危険性は増えますし肥満の可能性も高くなる。しかしその人にとっては好きなケーキを食べ、コーヒーを飲むことが無上の喜びということもあります。

繰り返しますが、物事には良い面と悪い面があって、ケーキを食べれば糖尿病や肥満の可能性もあるが、そのこととケーキを食べて心が落ち着いたり生きがいを感じることを比べて、その人なりに判断してどちらが良いかを選んでいるのです。そして、それを選ぶのはその人の基本的人権の一つで、医師や政治家が強制することはできないのです。

人間はただ生きるためだけに生活をしているわけではなく、その人の夢なり楽しみなりが一緒になって生きています。ですから、タバコは悪いもの」と一概には言えないのです。

コロコロ変わる「嫌煙派」の主張

最初は「タバコを吸うと肺がんになる」ということでタバコ追放キャンペーンが始まったわけですが、これはそのうちに「どうもおかしいのではないか」ということに気づきます。

タバコをただ吸って、本人が肺がんになって死ぬということであれば、それは本人にタバコを吸ったときに肺がんになる可能性を十分に示せば、後は本人が選択すべきこと。強制的にタバコを追放することではありません。

成人というのは自分の行動については自分が責任を持つということですから、タバコを吸ってその人が肺がんになったとしても「だからタバコを吸うのを止めろ」と社会が指示することはできないはずです。

禁煙運動が始まってしばらく経(た)って、今度は「タバコを吸うと気管や肺の病気になる。その治療には保健医療費が使われる。保健医療費は国民全体が負担するものだから、個人の趣味でわざわざ病気になる人の分を払うことはできない」という奇妙な意見が出てきました。

そういうことを言い出してしまえば、もうすべての病気やケガにも同じことが言えてしまいます。

たとえばクルマに乗れば排気ガスが出ます。そうすると税金を使って公害防止策を行わなければなりません。交通事故も起きますから、各警察署は交通課のおまわりさんを備えておかなければいけないのですが、交通課のおまわりさんの給料も税金から支払われます。

どんなことであっても人間の行為は何かしら社会への影響を及ぼします。そう考えたとき「医療費に関係するからタバコを吸ってはいけない」というのはかなり強引な論理と言えるでしょう。ですから、このような理屈もやがて後退していきました。

すると今度は、「タバコを吸ったときに出る副流煙、つまり喫煙者の横にいる人が肺がんになる」というような奇妙奇天烈な論理が出てきました。

そして、これに関しての非常にヘンテコな実験までもが行われることになります。

それは「ネズミの気管を切除してそこにタバコの煙をずっと連続的に吹きかける」と

いうものでした。

タバコの煙の中には多少の毒もありますから、それを切開した気管に吹きかけ続けたならば……。切開した気管というのは免疫が失われていますし防御力も弱くなっていますから、当然それはタバコの煙に含まれる弱毒によって損傷します。

そうすると、私たちの社会で隣の人がタバコを吸ったときとはまったく違う実験なのに、それを参考にして「ほら見たことか、副流煙は悪いじゃないか」ということになります。

すると、今度は論文が出ます。タバコを吸っている夫とそうでない夫と過ごした妻で、どちらが肺がんが多いかという調査が行われました。この場合は結果が判然としなかったので、論文にウソのデータを出してしまいました。

その後、ウソのデータがバレてしまい「生のデータを出せ」ということになったのですが、しかし絶対に出さないというような事件がありました。

これは1990年初頭のことですが、外国の審査でデータが要求されるという日本の恥のような事件があったのです。

学問的にあり得ない「禁煙学会」の危険性

私は物理学者ですから、そういった衛生面ではなくて濃度、つまりタバコを吸った人と比べて、喫煙者の横で30年間生活するとどのくらいのタバコの影響を受けるというのを物理的に計算してみました。

そうすると、副流煙の影響というのは実際に喫煙するのと比べるとほとんど何百分の一ぐらいしか関係しないという計算結果となりました。

こういうことを言うとものすごい勢いで反撃が来ます。私はいろいろとそういう社会的問題についてブログなどに書いてきました。

たとえば、分別リサイクルが有効かだとかダイオキシンは毒物かとか、地球温暖化は進むのかということについて書いたときと比較しても、タバコに対する反撃はすごいものがあります。

とても感情的になっているのです。なぜそんなに感情的になるのかと私なりに考えてみました。

人間は自分が言っていること正しいと思っているのなら、それは冷静に議論をすれば自分の言い分が通るわけですから、口調は丁寧なものになります。ところが、自分の言っていることがおかしいということを薄々自分自身もわかっているときには相手を激しい勢いで罵倒しようとするのです。

「禁煙学会」という学会があります。しかしふつうに考えれば禁煙学会などというものが許されるはずはありません。

学問が何かしらの方向を持つということはとても危険なことです。学問はそれ自体に力がありますから、方向性を持った学問というのは時に思想の強制にもつながります。そのいちばん顕著な例がアドルフ・ヒトラーのナチスドイツでした。

「ゲルマン民族は優れていて他の民族は劣っている」という政治的な命題が最初にあって、それに基づいて学会や博士論文審査などが行われました。その結果、とにかくゲルマン民族が優秀で他の民族は劣っているのだという博士論文がどんどん通るようになりりした。

そのようなことが行われた結果がどうなったかと言えば、みなさんもよく知っているユダヤ人の大量虐殺に結びつきました。

学問とはそういう力を持っていますから、本物の学者は禁煙学会のような方向性を持った学会を嫌います。現在も禁煙学会はまだ存在しますが、これに所属する学者や医師の権利は剝奪されなければいけないと私は考えます。

タバコを吸うことによって人間の身体にどういう影響があるか、脳神経細胞はどうなるのか。喫煙行為は人間の文化に何をもたらしてきたかということを議論するのであれば学問的な意義はあるでしょう。

そういった議論をするのが学会の目的であって、「禁煙をしろ」というのは学会ではなく、政治運動であり社会活動です。ですから、方向を持った学会というのは存在しないし、方向を持った学会は存在してはいけないのです。

「喫煙率」が下がっても、「肺がん」は減らない!?

1995年ぐらいの日本人男性の喫煙率は、約85%でした。女性の喫煙率は、約17%でした。

それから25年が経った2020年では、男性の喫煙率は約30%。女性の喫煙率はいろいろなデータもあるのですが一応、以前と変わらず17%程度だと考えてそれほど間違いではないでしょう。

男性が85%から30%。女性が17%から17%ということで喫煙率は変化しました。

その間に男性と女性、それぞれの肺がんはともに大幅に増大しています。データを採取する年にもよるのですが、数千人だった肺がんによる死亡者が現在では6万人、7万人という勢いで増えています。

こうしたデータをそのまま受け取れば、見かけ上においては「喫煙率が下がると、肺がんは急増する」ということが言えるわけです。

つまり「タバコを吸うと肺がんになる。だから、喫煙率が下がれば肺がんになる人は減る」と禁煙学会やそれを支持する医師たちが言っていたものとはまったく逆の結果になっているのです。

もちろん反論は出てきます。「平均寿命が延びたからがんの発生数も増えただけで、年齢補正をすると上がっていない」というのです。そこで私が年齢補正をしたカーブを計算してみると、まったくそういうことはなく確実に増加をしています。

では、禁煙学会がどういう方法で年齢補正をやっているのかとみてみると、独自の計算式でやっている。

計算式というのは素人騙し（しろうとだまし）ができてしまいます。ですから、実際にはその式が正しいかどうかということからやらなければいけません。「計算式をつくって、それで計算しているから正しいのです」と言ってもそんな論理は通じません。

人を騙そうというときには騙すように言います。

だからどんどん言い方が変わっていきます。最初の1995年は「タバコを吸うと肺がんになるので、喫煙率を下げれば肺がんが減ります」と言いました。

喫煙率が下がっているのに肺がんが増えてくると、今度は「平均寿命が延びているから、そういうことになるのです」と変わりました。

しかし、そうであれば最初に「喫煙率を減らしても肺がんは増えますし、平均寿命の延びがあるのでさらに増えます」と、こういうふうに言わなければいけません。

もし禁煙運動が始まるとき（1995年）に「それでは喫煙率を30%にまで下げると、肺がんは増えるのですか？　減るのですか？」と尋ねられたなら「増えます」ということになる。「では年齢補正をしたら減るのですか？」と尋ねたら「いや増えます。増え方が少ないだけです」と答えなければいけないのですが、そういうふうに答えると自分たちの言っていることがウソであることがバレるので、そうは言わないでしょう。

「発がん性物質」が、がんを抑えるという事実

ただしこの問題には難しいところもあって、それは民族によってタバコによる被害の度合いが違うということです。禁煙運動というのはノルマン民族（スカンジナビア半島やバルト海沿岸に先住した北方系ゲルマン人）とアングロサクソンから始まっています。

これら民族はタバコの煙に対して敏感なところがあります。ですから、ノルマンの国やアングロサクソンの国へ行ったらやはりタバコは少し控えたほうがいいかもしれません。

ところがヨーロッパでも南のほうのラテン民族ぐらいになると、その影響はグンと減ります。アジアにはあまり北の国というのはなくて、北に住む民族となると中国人や日本人ということになるのですが、緯度でいうとこれはだいたいフランス人などラ

テン民族と同じくらいです。そして、さらに南のほうへ行くとタバコの影響というのは非常に少なくなっていきます。

これは気管のつくりであるとか、生活習慣、食べているものなど全体的な影響によるものだと思われます。ところが日本人の多くはどこかアングロサクソンやノルマンにコンプレックスがあって、彼らの言うことはすべて正しいと思っています。タバコの問題はそうしたことにも大きな影響を受けました（世界的な民族による違いなどは、拙著『早死にしたくなければ、タバコはやめないほうがいい』竹書房新書を参照）。

さらには、少なくない医師が少しアホだということもあります。

人間はがんを何によって防いでいるのかというと、発がん性物質が少なくなればがんも少なくなるということではなくて、実は発がん性物質が多いほうががんの発生は減るのです。その典型的なものがラジウム温泉やラドン温泉で「温泉に浸かると健康になる」といってラジウムやラドンから放射線を受けているわけです。

また、毎日太陽の光を浴びると皮膚がんができます。ではそれが悪いことなのかというとそうではなくて、皮膚がんができることによって体内でがんの防御機能が働いてがんにならないようになるのです。そしてそうすることで食品に発がん物質が入っていても、ストレスでがんになる因子にスイッチが入っても、それを体内にある制がん物質が抑えてくれるわけです。

ところがアホな医師がいるので、自分の担当しているところにしか目が行きません。人間のトータルでの幸福とか全般的な健康ということを考えることがない。

その結果として、発がん物質を除こうとするわけです。今でも栄養学においては発がん物質がいけないというような考えを持っているヘンテコな人がいるのですが、発がん物質は適切な分量が要るのです。

簡単に言うと、身体の中の制がん物質は日々の太陽から受ける紫外線から発生する皮膚がんの倍ぐらいは必要かと思われますが、そのくらいの発がん物質があったほうが人間のがんは起こらないのです。だからタバコの煙とかご飯のオコゲとか魚を焼いたコゲなどのわずかな発がん性を持っているものをむしろそれを日常的に摂っているほうががんになりにくいということになります。

これは無理やりな理屈ではありません。細菌やウイルスも同じで、たとえば無菌室で生活していたらすぐに風邪をひくというのはみんな知っていることでしょう。ばい菌のいっぱいいるインドの河に日本人が入るとすぐに下痢をしますが、インド人は下痢をしません。人間というのは薬によって病気から逃れているのではなく、それぞれの環境によって抵抗力がつくからです。

人間の身体というのは共生生物といっしょに生活していて、たとえば「腸内細菌」もそうです。細菌というぐらいなのであまり望ましいものではないように思うかもしれませんが、人間は腸内に細菌がいないと食べ物をうまく消化できません。「ウイルス」もそうです。最近は新型コロナウイルスのこともあって何かウイルスというのは存在すること自体がいけないことのように言われていますが、実は人間はウイルスとも共存関係にあります。

この本の著者は武田邦彦ですが、武田邦彦という私の身体には、私自身が親から引き継いだ遺伝子はちょうど半分ぐらいしかありません。残りの半分の遺伝子は、腸内細菌とか皮膚にいるダニとか神経に巣くっているヘルペスウイルスとかそういうものの遺伝子なのです。

生物というのは純粋であれば生きていけるということではなくて、むしろ生活の中の汚いものもすべて含めて防御系を形成しているのです。したがって、副流煙は私が計算したところ実際に喫煙するのと比べて数百分の一ぐらいしか毒性はありません。だから、副流煙が健康に悪影響を与えるとは考えられません。

コレステロール

コレステロールは人体に必要なもの

次に取り上げるのは「コレステロール」の問題です。

「コレステロールは良くないものなので減らさなければいけない」ということが言われ始めたのが1950年代、戦後すぐのことですからもうすでに70年が過ぎています。

70年もウソが続くわけはないので、2015年には厚生労働省が「食事におけるコレステロールの規制は撤廃する」というステートメント（声明）を出しています。

それでも70年間にわたって「コレステロールは悪い」と言い続けてきたものですから、1度くらいの厚生労働省の発表では国民全体に伝わるわけはありません。だから今でもコレステロールを気にしている人もいますし、医師でもあまり勉強をしていない人だといまだにコレステロールが悪いと思っていたりもします。

歴史を振り返ると、戦後すぐに欧米からコレステロールに関するデータが入ってきます。そのデータは横軸にコレステロールの量、縦軸に血管障害や心臓障害といったものの頻度が書いてあるものでした。これによると血中のコレステロールがだいたい150から400ぐらいに設定されていました。

実は、日本人はいくらコレステロールを摂取しても280ぐらいまでしかいかないのですが、北米やさらに北の国では400ぐらいの人もいるのです。

そして、このデータでは「コレステロール値の低いほうが血管障害などが少ない」となっていました。それで医師でもアホな人がそのグラフをかざして「コレステロールは少ないほうがいい」と言い出したのです。

そのために、動物の油だとか卵に多く含まれているコレステロールを控えようという運動が始まりました。

こういう問題が提起されたときにはいつもそうなのですが、そういった不合理なことを社会に勧める側はある事実を隠します。

では、そのときに何を隠したのかというと「コレステロールというのは人間にとって非常に大切なものだ」ということでした。

人間の細胞の外側の膜はほとんどがコレステロールでできています。脳の中にはコレステロールが35％もあって、頭の機能を正常に保つためにはコレステロールが大量に必要になるのです。

ところが食品から摂取できるコレステロールはそれほど多くはなくて、毎日卵を20個食べるとか、そのくらいしないと人間に必要なコレステロールを補給することはできません。食品から摂取できるのはだいたい必要分の20％だと言われます。

しかし、どうしても人間に必要なものですから残りの80％程度のコレステロールは体内で合成されます。主に肝臓でつくられるのですが大変に複雑な化合物で、つくるのが大変なのです。

そのときに食品としてコレステロールが入ってくるとその分肝臓は働かなくていいから非常に楽になります。

また、コレステロールを摂ることで肝臓の機能を節約できますから、お酒を呑む人ならばもっと多くの量を呑めるということになります。

日本人にコレステロールの害はない

そしてもう一つ、大きなごまかしがありました。

1950年ごろに入ってきたヨーロッパからのデータをよくよくみますと、コレステロール値が300ぐらいまでは特に人体への害はないのです。それが300を越えて400ぐらいになってくるといろいろな疾患が出てくる。

だから全体としてはコレステロールが多いほうが病気になりがちのようにみえますが、しかしコレステロール値300ぐらいまではまったく健康に悪影響を及ぼさないということが言えるわけです。

日本人はもともと体質的に、かなり油を摂る人、卵を食べる人でも260程度までしかいきませんから、その意味ではもともとそのグラフは日本人には関係がなかったのです。

要するに、北ヨーロッパの人たちにとってコレステロールが問題だからといって、全然関係のない日本人に規制しろという、つまり最初から何か変な話だったわけです。

これは今度の新型コロナウイルスの問題とも似ています。

たとえば、２０２０年12月末の時点のデータでは、日本の人口の約2分の1のイギリスと比較すると、新型コロナによる死者はイギリスが10万人、日本が３５００人で約30分の1です。交通事故死が1万人に達したときには「交通戦争」と呼ばれ、現在のように４０００人を下回ると交通事故はあまり話題になりません。

年間の死者が３５００人ぐらいの病気というのはほかにもすごくたくさんあって、それでいちいちワクチンを打つなどというのはまったくお話になりません。さまざまな病気のためにワクチンを打ち続けなければならないということになってしまいます。

話が逸れましたが、とにかく国によって生活の仕組みや人々の身体のつくり、食習慣によって流行る病気もまったく異なるということです。

ところが「やっぱりコレステロールがいけないのだ」ということが言われ続けるうちに、「みんなが言っているからそうなのだろう」という力が働くようになります。

大衆社会というのは隣の人がやっていることをそうだと思う社会なので、いったん「コレステロールが悪い」ということがＮＨＫあたりで放送されるとみんなが「コレステロールは悪いんだ」と思ってしまうのです。

「善玉」「悪玉」の呼称は見当違い

その後、コレステロールには2種類あるということが知られるようになります。

一つは本当に必要なコレステロールで、これはどんどん血液に流して各細胞へ送らなければならないものです。コレステロールは玉状になって血中を流れていくのですが、このとき血管の成分と似ているために血管の壁にくっつきます。

しかし、どうしてもコレステロールは末端の細胞にまで届けられなければいけないので、それが血管壁につくとそれを掃除する掃除用のコレステロールが後から行って、血管壁にひっついている必要なコレステロールを剝がして、もう一度肝臓に戻してつくり直します。

コレステロールをつくるのは結構大変なので、何回も何回も使いたいものですから、血管の壁にくっついているコレステロールを回収しているのです。

つまり、コレステロールには「必要なコレステロール」と「回収用のコレステロール」の2種類があるのです（本当はコレステロールという言い方自体が間違っていますが、それは専門的になるので、本書では一般的に使われるコレステロールという呼び名を使っています)。

しかしそのときに、またテレビは「コレステロールは血管の壁につくから悪いのだ」と間違ったことを言い出しました。そして、血管の壁についているコレステロールを引き剝がす回収用のコレステロールに「善玉コレステロール」と名前をつけたのです。対して、本当に必要なコレステロールのほうを「悪玉コレステロール」と呼び始めました。

これはNHKが命名したというように言われています。そして、繰り返し繰り返し「善玉コレステロール」「悪玉コレステロール」と呼んだので、現在でもそのように思っている人は多くいます。

「自分は善玉コレステロールが多くて、悪玉コレステロールが少ないからいいんだ」などと言うのですが、実はその人は「必要なコレステロールが少ない」ということなのです。

人間というのは一度方向性がついてしまうとそういうふうになってしまうものです。それでその「善玉コレステロールが多い」と言っている人がどうなるかというと、細胞膜に必要なコレステロールが不足しますからやっぱり細胞がやられやすい。これはいろいろな病気の原因にもなりかねません。

それから脳にはコレステロールが35%も必要なのにそちらも少なくなってくる。善玉コレステロールだけがあっても必要なコレステロールがなければそれを必要とする場所へは運ばれません。回収して肝臓へ持って帰ってしまいますから、必要なコレステロール、つまりNHKが命名した悪玉コレステロールが不足してしまうわけです。

悪玉コレステロールと命名したこと自体がおかしいのです。コレステロールというのは必要だから人間の身体の中で必要量の80%をつくる。それだけ人間の身体の中でつくられるものが悪玉であるはずがありません。人間は必要のないものをつくっているほど悠々たる生活をしているものではなく、自分の身体に必要なものだからつくっているのです。

こうしたことの積み重ねによってコレステロールが本当は必要なのに不足する人がとても多く出てきたというのが現実です。

ウソで儲ける、製薬会社と医者たち

それでも2009年から、ようやくまともな意見が出てきました。

厚労省でコレステロールに関する委員会が開かれます。多くの医師は良心的で「最近コレステロールを悪者だとして抑制する人が多くなったので、認知症になったり、記憶を呼び起こすことが遅くなっている人が増えてきた」「細胞も弱くなってきたのでいろんな病気を併発するし、熱中症なども出てきた」「血圧も低くなってきた」「こういうことが起こってきたのでこの誤解を解いてコレステロールの制限を緩めたほうがいいのではないか」という問題提起が委員会でなされました。

ところがそのときに、コレステロールの制限撤廃に反対する医師がいました。実はコレステロールを下げるということで非常に良く効く薬があって、この薬価がものすごく高いのですが、これをつくっているグループを背景とした病院の医師が反対したのです。それでそのときに「コレステロールの基準を下げてもらっては困る。病院の経営のことをわかっていないのか！」と言ったのです。

だからコレステロール値の高い患者さんが来ると、病院はニッコリします。コレステロール値を下げる薬を調合できますから、そうすると薬価が高いのでごっそりお金が入るのです。血圧降下剤と似ていて、それはもう病院にとってはやめられない……。

ところが、この議事録が外部に流出してしまいました。

本当は国の委員会なので議事録は全部公開していいのですが、委員会の多くはいつも利権と関係しているので、その議事録は原則非公開としているのです。

これは新型コロナウイルスの場合もそうです。専門家委員会の議事録は公開しないといって世間の批判を浴びて、それで公開しても全部黒塗りだったりするのです。

「実はコレステロールを下げる必要はないけれど、下げるという基準をつくってくれないとお金がもらえないから病院経営が成り立たない」という議事録が表に出たわけです。酷(ひど)い話ですね。

そしてそれから6年間もすったもんだして、ようやく2015年になって厚労省が、実はコレステロールというのはそんなに低くなくてもいいのでとりあえずコレステロール値の基準は変えないけれども、コレステロールの多い食品、典型的なのは卵や豚肉の脂ですが、そういうものに対する制限はやめるという通達を出しました。

その翌年から翌々年ぐらいからは国立医療センターだとか赤十字病院など大病院の真面目な医師はコレステロールの制限ということを言わなくなりました。

ただ、今も開業医レベルではそこまで勉強をしていないので私に食ってかかる人もいます。「武田さん、コレステロールは制限されているのになんだ」と言う人には、「それは2015年の厚労省の通達を見てください」と反論しますが。

医師としてはコレステロールの規制がなくなって一般の人々がこれを制限しなくなると報酬が下がってしまう。やはり人間は自分が損をするという方向へはどうしても行きたくないものなのです。

しかし食品で入ってくることを制限すると、むしろ健康に悪い影響が出てきます。たとえば、人が必要とするコレステロールを100とすると、そのうち80は自分の身体でつくって、20は卵などを食べて補うわけです。

ところが医師は「ちょっとあなたはコレステロールの値が高いから、卵とか豚肉の脂などは食べないほうがいいですよ」とアドバイスします。それでその人が、卵を食べなくなったり豚肉の脂身を食べなくなったとします。

そうして食品からコレステロールが入ってこなくなると、簡単にいうと身体は100％を自分の身体でつくるようになります。そうするとコレステロールをつくるのは結構大変なことなので、まず身体が疲れる。さらには肝臓が傷むという状態が起こります。

それでもやはりコレステロールが少し不足しますから、病気に罹りやすくなります。だったらコレステロールを食べればいいのかというと、人間の身体というものはそんなにすぐには変わりませんから、急にコレステロールを食べるようになれば今度はコレステロール過剰になってしまうのです。

医師のアドバイスというのは正確でなければいけないのですが、医師というのは身体が壊れたときに治すことが仕事なので、健康のためにコレステロールをどうしたらいいかということについてはあまり知識がありません。医師は忙しいし、覚えることが山ほどあるので、だから私たちからするとこういったコレステロールの制限などを彼らに任せてしまうことは実は適切ではないのです。

似非科学が人々を害する

血圧やコレステロールなど人間の身体は自分の身体を最善にするために懸命に努力をするわけです。

自分の身体ですから、自分の身体を壊してお金を儲けたいなどという人はいません。ところが、社会はそれで一儲けしようという人が多い……。

コレステロールのように、わかっていながらテレビが「減らしたほうがいい」などとウソをつく場合もあります。

タバコなどは体内での反応が非常に複雑なので必ずしもわかっていなかったという面もあるのですが、まあこれまでの生活習慣を否定するような論説が出てきたときにはそのだいたいがお金で左右されていると考えていいだろうと思います。

地球温暖化の問題などもすごくお金を使っているウソなのですが、それでもまあ人間の身体に直接関係のないものであれば社会において多少の誤解を生じてもやむを得ないかもしれません。

しかし人間の身体の健康や命に直接関係のあることについて、お金が儲かるからとか、自分があまりよく考えていないからというような一方的な考えで、他人の幸福をないがしろにするというのは良くないことです。

学問をする者はそういう真面目さをしっかり持っていなければなりません。学問には力があるので、いい加減にやってしまうと他の人に被害を及ぼすことにもなります。

地震予知もそうですし、火山噴火の予知もそうです。御嶽山(おんたけさん)に登って爆発に遭遇して亡くなったお子さんの親は今でも「なぜ自分はあのときに子どもが御嶽山へ行くのを許してしまったのだろうか」と悔やんでいるそうです。しかしそれは東大の先生が「噴火の可能性なし」と言っていて、実際にそのような表示もなされていたわけですからこれは一般の方にはどうしようもないことです。

しかし学問というのは、そこで「噴火の可能性なし」と言えばそのために亡くなる方がいるということを肝に銘じなければなりません。「噴火の可能性があるというと、地元商店街から苦情がくるから……」などという理由で、人の命を左右するのは学者とは言えないのです。

血圧を下げればいいといって下げたことで亡くなる人もいるし、タバコをやめてノイローゼになる人もいる。

そういう人は本当に医師やテレビの言うことを信じてやっているにもかかわらず、それが自分の健康を蝕んでいるということに気づいていません。

だからこそ私は「学者はどんなに世の中で言われていることと違っていても、自分の学問的信念に基づいたことをキチンと言わなければいけないし、世間に向けて発言するときにはよくよく調べて間違いのないことを言わなければいけない」と思うのです。

そのことは本書の一つのテーマなのですが、なぜ我々は騙されるのかというと、イチにもニにも「みんなが言っているから」ということが原因です。

私の経験でいうと「みんなが言っていることとは違うけれどもこれが本当だ」ということをちゃんと根拠も示して発言したときに、多くの人は私を攻撃してきます。

つまり、多くの人たちは学問的に正しいかどうかということよりも、みんなが言っていることをやりたいのです。

今回の新型コロナウイルスについて言えば、「マスクをする」ということがそうです。マスクをしないからといって喧嘩になったりもしていますが、ウイルスの大きさは0・1ミクロン、マスクの平均的な孔の大きさは30ミクロンですから、300倍の孔の空いたところでウイルスを止めるというのは原則として無理なのです。

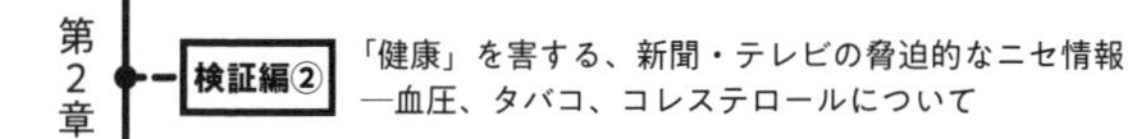

みんなで気をつけているという〝印〟としてマスクをつけているということであればそれはそれでいいのですが。「マスクをしているから自分はコロナウイルスに感染しない」と思っている人がいるのなら、それは残念ながら間違った考えであって、科学的に正しく考えれば「300倍の孔の空いたマスクをしてもウイルスが口の中に入ってくることを防ぐことはできない」ということなのです。

「ほとんどの人がマスクをしても感染が収まらない。なぜだろう?」と首をひねる人もいますが、科学的に間違っていれば効果が出ないのは当然です。

科学者は絶対に科学的なウソを言わないという強い信念を持ってもらわなければいけないと再度言っておきたいと思います。

第３章

検証編③

「理系アタマ」の考え方で、巷のウソを見抜け！

―日本経済から死後の魂まで

日本経済

日本は「黒字国」で赤字はない!?

ここからは話題を変えて、「日本経済」にまつわるウソについて解説していきます。これまで主要メディアでたくさんのウソが報道されてきたため、「日本は借金大国である。この借金を次世代に回してはいけない。だから、消費税を上げるのは仕方がない」という話を信じている人は多いと思います。

特に、女性のほうが信じているようです。女性は男性に比べて生真面目(きまじめ)なところがありますし、「国家財政」を「家計」という視点でみてしまうからかもしれません。

NHKなどが「日本には1000兆円の借金がある。それは国民1人あたり870万円にもなる。こんな膨大な借金を子どもたちに残していいのですか」と言うものだから、「子どもたちがかわいそうだから、消費税を上げてもいい」ということになり、それで消費税は10%まで上がっていきました。

しかしそれこそが、財務省の作戦だったのでしょう。私にはそうとしか考えられません。なぜならば、政府や日本銀行が発表しているいろいろな数表を見れば、日本の財政に問題がないことは明白だからです。

私たち一人ひとりが日本政府の「バランスシート（貸借対照表）」などを読んで理解することができれば、いくらNHKが「日本国には借金があって、大変だ！」と言ったところで「そんなことはない」とわかるでしょう。ただそういうものを読む人が少ないので、ウソをつく側はそこを狙ってくるわけです。

NHKが独自に間違えているということはまずあり得ません。NHKには経済を専門にしている人もいて、そのくらいの知識も裏取りのための資料もたくさんあるのですから、そんな簡単なことを間違えるとは考えられないからです。

それでは、「日本国の借金問題」のどこが間違っているのかを説明します。

まず、日本という国は世界有数の「黒字国」です。借金どころか、逆に外国に対してお金を貸しているのです。ヨーロッパ諸国においてもドイツやスイスのように経済状態が健全な国もありますが、日本はそれらの国よりも遥かに良く健全です。

日本国の借金はゼロどころか、年によって少々の上下はありますが、だいたい

350兆円ぐらいの黒字です。黒字というのはお金を他に貸しているか自分が持っているかということですから、日本は借金国ではありません。

黒字なのに借金が問題だという、あまりにも露骨なウソがまかり通っています。私が最初にそう言い出したときには信じない人ばかりでした。

しかし今は、元財務官僚の高橋洋一さんをはじめ経済学者の多くが日本国には借金がないということを言っていて、そうした発言はネットなどでいくつもみられます。

ただし、そういう人たちは地上波のテレビにはあまり出てきません。4大新聞などにもほとんど出ません。なぜかと言えば、これまでのウソがバレでしまうからです。「日本は借金大国だ!」と言って消費税を10%にまで上げてきたわけですから、今さらNHKなどが「実は日本には借金がなかった……」などとは言えませんから、そういう人たちを解説には使わないのです。

政府の借金は、国民の財産

ここ何年かの日本国のお金の状態をザっと説明しておくと、外国に対して約350兆円の黒字になっています。

そして企業はだいたい400兆円の黒字です。昔は企業も真面目だったので儲けたら社長の給料を上げる、もしくは従業員の賃金を上げるということをしてきたのですが、最近では内部留保という形で会社の中に貯金を持っているという状態にしていますが……。

そのほかは、だいたいトータルでプラスマイナスゼロといったところです。

では「日本の借金」と言われているものは一体どこにあるかというと、これは政府がつくった借金のことを指しています。

日本の政府はだいたい1000兆円の借金をしています。

「政府の借金」と「国の借金」ということの違いがわからないという人も多いでしょうが、ここにも一種のトリックがあります。

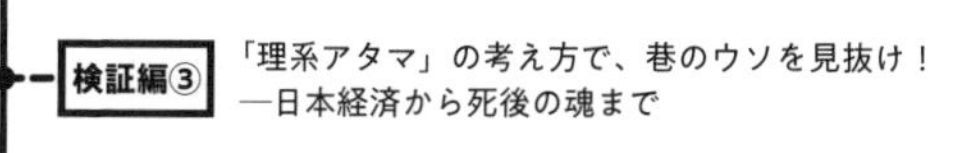

まず、財務省が「国の借金」と言うときには「国」と「政府」の区分けを曖昧にし誤魔化しています。

前述のとおり日本政府の借金は1000兆円ありますが、日本国の借金はないどころか350兆円を他国に貸し出しをしている黒字です。

日本政府の借金と言っても、国債を買っているのは私たち国民ですから「国民の貯金」です。日本国の他国に貸し出している黒字分を合わせると1350兆円になります。

つまり、国民全体では1350兆円の貯金を持っていて、そのうちの350兆円を海外に、1000兆円を政府に貸しているという形になっているわけです。

NHKが言っているような「日本国＝国民が1人あたり870万円の借金をしている」ということではありません。

だから、国民自体は子どもにツケを回すことはありません。子どもたちは日本政府に、そのお金を「返してくれ」と言えばいいのです。

政府は無能だが、日本国は健全

ところが日本政府は、国民から借りた1000兆円を全部使い果たしてしまっています。半分くらいは資産として残っているとの試算もありますが、いずれにしても大半はすでに使われています。

使ってしまっているから、国民があるときそのことに気づいて「返してくれ」といった場合にも返せません。それで、これを返すために消費税を上げたのです。

日本国の運営というのは非常に簡単で、お金が要るなら借金をして、それを返してくれといわれれば税金で取り立てればいい。借りるのも取り立てるのも、その両方とも国民のお金です。

借金のやり方としては最初に日本政府が国債を発行します。その国債はまず銀行に渡って、銀行がそれを「個人向け国債」ということで商品として国民に売ります。それが政府の借金ということになるわけです。

10年経って国民が国債を償還してもらおうと銀行へ持っていくと、銀行は100万円の国債であればちゃんと100万円と利子をくれます。

では、この100万円はどこから出ているのかというと、たいていは政府が新たな国債を発行して、それをそのお金に充てています。だから国民は、形式上は100万円を返してもらっていても国民が政府に貸している額は変わりません。Aさんが返してもらったら、今度はBさんがその分の国債を買っている。いわゆる自転車操業で回しているのです。

ここで不思議に思う人がいるでしょう。「政府というのは国会審議で予算が決まっているのだから、年間の予算が100兆円と決まったら100兆円しか使えないのでは？」と。しかし今は違うのです。

確かに昔は予算の範囲内でやっていました。バブルが崩壊する直前あたりまでは、戦争中など特別な時期を除けば、政府は予算で決まった金額しか使えなかったのです。ところが、自民党の政治が長く続くと悪い知恵者が出てきて「国債を発行して、その分を使えばいいのでは？」となります。これが顕著になったのが、私の記憶でいうと1988年からでした。

国債というのは国会の了解なく発行することができます。つまり有権者とは関係のないところで発行して、そこで手にしたお金は予算とは関係がないから、好き勝手に使ってしまうのです。

そして使っているうちに、政府の支出として出ていくお金の細目に「国債の利子」が入ってきます。現在はあまりに国債を出し過ぎたために利子も払えなくなり、借り換えの国債を発行してそれで支払っているのです。

今の日本政府はそのような無茶苦茶な財政になっています。もちろんアメリカもそうなのですが、アメリカはドルという基軸通貨を持っているので（国際通貨の問題となるとさらに複雑な話になってしまうのですが）なんとかなるのです。

日本の円もなかなか強いのですが、やはりドルとは比較になりませんから、日本がアメリカと同じようなことをやっていたら破綻（はたん）してしまうということをずっと言われ続けてきました。

「このままでは日本の国債は持っていても紙屑（かみくず）になるぞ」と言われてきたのですが、まったくそうはなりません。日本政府は借金をしていても日本国自体は黒字、日本企業も黒字ですからそれだけの信用があるのです。

頭の良いヤツほどズルをする

日本国の借金がある。子どもにツケを回してはいけない。だから、消費税を上げるのだというロジックに、日本国中が見事に引っかかってしまいました。

それは財務省の官僚とＮＨＫなどが考えたことです。

私が大学の先生をやっていて、一番失望するのは「教育すればするほど、頭の良い学生であればあるほどズルをする」ということです。

本来であれば、頭が良くて学問もあって、機転も利いて人格が高くなければいけません。人格が高いことと能力のあることがイコールでなければいけません。

しかし、高学歴になればなるほど「能力はあるけど人格は低い」というような人が登場する……。

国家公務員になるような人は、試験に受かったときには、「日本を良くしよう」と思っているはず。ところが現実は違います。あるとき私は「日本はどうなってもいいから、自分がお金を儲けて楽な生活をすればいいや、という心に変わるのはどのくらいですか？」と知り合いの役人に尋ねたことがあります。するとその人は「数年で変わりますよ」と答えました。人間とはそうしたものなのでしょう……。

ですから、とにかく私たち国民が彼らをよく監視をすることが大事なのです。

マスコミはあくまでも「こういう事実があった」「天下りでこの人はどのくらい儲けた」「天下りしたのはこういう理由だ」ということをデータとしてちゃんと発表してくれるだけでいい。そうすれば国民が気づきます。

マスコミが「自分たちが監視の役割を果たす」「直接政府とか官僚を批判する」などといったところで、そういうマスコミも自分たちの損得で動いているというのはこれまでに記してきたとおり。その典型的な例が「日本の借金と消費税」のようなウソの報道なのです。

地震予知も、まったく予想できないということがわかっていながら、国の科学振興予算を確保するために国民全体にウソをついて、そのせいでたくさんの被害者を出してきました。

血圧の問題も「高齢者は血圧が高い」「高齢者は死亡率が高い」という極めて自然な事象を組み合わせて「血圧の高い人は死亡する」というグラフをつくり、減塩運動を展開したという事実がありました。

日本国に借金が１０００兆円もあって子ども１人あたり８７０万円以上のツケを回すというのも完全なデタラメです。そういうウソをずっと続けてきたために日本は１９９０年のバブルの崩壊から今まで30年間、実質的な国民１人あたりの年間所得は４５０万円というのがほとんど変わらないという先進国の中で際立って低成長の国になってしまいました。

アメリカにももちろんインチキはありますが、それでも一応全体としてはちゃんとしてきたので平均年収は今だと日本円換算で１２００万円ぐらいになっています。日本も財務省とマスコミのウソがなければ平均年収はアメリカと同様に１２００万円ぐらいになっていたでしょう。

私たちはそういうことを真剣に考えて、これからは騙されないぞという強い思いでいないとマズイのではないか――というのが私の考えなのです。

UFO

「UFOがいない」とは、本物の科学者は言わない

ここから少し視点を変えて、やわらかい問題についても考察していきたいと思います。まずは「UFO」です。

UFOを目撃したという話はたくさん出てきますね。航空自衛隊のパイロットやアメリカ空軍のような空を飛んでいる人たちが、随分とUFOを目撃しているらしい。そのうちのいくつかは写真なども撮られていて、それらを目にすると「いったいどういうことなのだろう」と思います。

こういった話題になると、科学者の多くは「そんなことはないよ」「だいたいUFOが飛んでくるとなれば相当程度の文明の高い星が近くになければならないのに、

そんな星はないよ」と言います。

確かに、地球から100光年あたりのところの星で文明のありそうなところはほとんどありません。1万光年ぐらいになって、ようやくそうした可能性のある星が少しある程度です。

1万光年離れたところから飛んでくるためには光の速さで1万年かかります。通常の宇宙船の速さだと5万年、10万年とかかる。10万年もかけて地球の探索にくるなどというものはまったく無駄なことですし、そもそも無理だ——とUFOを否定する人たちは言います。

だからUFOの目撃情報にしても「恐らくは何か光の加減であるとか、パイロットが空を飛んでいるうちに幻想を見たのではないか」と反論するのです。

これは一見科学的な意見のように見えるかもしれません。しかし、この科学者たちは実は間違っています。ここに科学の落とし穴があるのです。

UFOが飛んでくる可能性というのは「ある」のです。それはどうしてかと言えば、光よりも速い移動手段が「ない」と決まったわけではないからです。

「光がいちばん速い」と言っているのは、今の私たちの科学の常識の範囲内でのことに過ぎません。ですから、私たちの知能の及ばないようなものがあるかと言えば、それは「ある」のです。

そのことは過去を見ればわかります。

人間が誕生したのは600万年も前のことです。しかしわずか1000年前、1000年前というと人類誕生からの600万年のわずか6000分の1です。

その1000年前、たとえば平安時代の紫式部に飛行機をみせて「あれは何だと思いますか?」と尋ねれば、きっと紫式部は「空を飛んでいるのなら天狗ではないか?」とでも言うでしょう。

なぜ紫式部が飛行機を天狗だと言い、今の人は飛行機だと考えるのかと言えば、人間は目に見たものを、今の自分の知識の範囲で判定しようとするからです。

もちろん紫式部のいた平安時代には飛行機はありませんから、あんな巨大なものが空を飛ぶなんて考えもしません。ならば、それは天狗のような怪物の類ではないかと考える。

このように、私たちはいつも自分の頭の中に入っている知識の中から正解を探すという癖があるのです。

我々は光より速いものを知らないだけ

科学者が「光よりも速いものはない」と言うのは、アルベルト・アインシュタインが今から100年ほど前に「光がいちばん速い」という理論を構築した、世に名高い「相対性理論」を論拠としています。

相対性理論はその後の量子力学などに発展して、学問的にたいへん大きな功績があったことに間違いありません（物理学的には、相対性理論と量子力学は相いれないところもある）。

しかし、アインシュタインは「光がいちばん速いのだと考えて整理をするとこの世の中をうまく整理できる」ということを言っているだけで、「光よりも速いものがない」と証明したわけではありません。

アイザック・ニュートンによる「ニュートン力学」だけでは説明しきれない不思議

なことがあったので、それを整理するためには「光がいちばん速いものである」と定義して、それでいろいろなことを考えるとうまく説明ができると言っているに過ぎないのです。

もちろん、光がいちばん速いということを後押しするいろんなものがあります。有名な「$E=mc^2$」という式がありますが、これによれば現在の核兵器なども全部説明ができて矛盾がありません。

ところが、最近では「実は、光よりも速いものがあるのではないか」との説も出てきています。

アインシュタインの時代には、「真空」は本当に何もない空間だと考えられていましたが、現在では真空にはヒッグス粒子といわれる素粒子がぎっしり詰まっているというのが正しいのだという理論も出てきました。

そのように現在でも、毎年ということはないにせよ10年に1度ぐらいは新しい現象が発見されているのです。

1000年前の紫式部は飛行機を理解できず、スマートフォンなどは明治の乃木希典(のぎまれすけ)大将にも理解できなかったかもしれません。「この小さいものでどこにでも電話ができるとか、汽車に自由に乗ることができるとは、いったいどういうことなのだ」と言ったに相違ありません。

そうしてみると、今から1000年後どころか100年後でも、今の知識がそのまま通じるとはとても考えられないのです。

100年後にUFOを見れば「あれはどうだ、こうだ」ときちんと説明できるかもしれませんから。

このように、私たちの頭脳が正しいとか間違っているということを判断するときに、現在の知識で説明できることは「正しい」と、知識にないものは「間違っている」と判断してしまうのです。

これも、フェイクニュースに騙されることを防ぐ一つの考え方です。

死後の魂

「霊魂」が実在する可能性

UFOの問題と並んでよく質問を受けるのが「魂」についてです。

お墓で何かもやもやとしたものが立ち上がっていたとか、戦争で亡くなった兵隊さんの慰霊式を行うと、そのとき何か魂のようなものが見えるとか、さらにそれが写真に撮られて「こういうものが写っている！」などと言われることがあります。

そういったものを科学者にみせると、その多くはやはり「死んだ人の魂なんてあるはずがない」と言うでしょう。

なぜかと言えば、人間の思考というのは大脳新皮質で司られていて、人が亡くなって頭に血液が流れなくなり、大脳の皮質が朽ちてしまえばそのまま意識も全部なくなると考えるからです。だから死んだ人は呼びかけに答えない。

しかし、人間は死んだら何もなくなるというのは寂しいので、それで魂が存在するというような話をつくり出したのだというのがごく普通の回答です。

中途半端な科学者というと非常に失礼なのですが、あまりじっくりと科学をやったことのない、もしくはおっちょこちょいの科学者というのはきっとそのように言うでしょう。

しかし、このような答えは、科学的ではありません。

科学というのは自分の考え得る範囲で「こうだ」と思うこと以外に、それとは異なるものが世の中に存在することを発見しようとしているからです。

科学者は、今まで自分たちの頭の中にないものを発見しようと思って研究し、だから実験というものが必要になるのです。

前述しましたが、もし自分たちの頭で考えたものがすべて正しいというのであれば、実験などはする必要はありません。今の知識からすれば、これから私の言うことは荒唐無稽に感じられるでしょう。しかし、本書の読者までが同じように現在の知識だけで考えてはいけません。

たとえば、人間の魂は実は大脳旧皮質にはなくて、大脳新皮質の中のほうの小脳や延髄のほうにあると仮定します。人が亡くなると、脳の血液は滞留するので大脳新皮質の機能はダメになりますが、小脳とか延髄にある人間の魂としてはこれまで生きてきた中で得た知見を失くすわけにはいかない。

なぜかというと生物はそれまでの知識を使ってだんだんと進化してきて、そういう生物が生き残ってきているわけだから、現在の生物は必ず死んだ後に自分の獲得した知識を残しているはずです。身体のつくりは明らかに自分が生まれる前の構造を知っているのですが、知識については知らないと現在の科学では仮定されているのです。

では人間の場合、それはどういう形で残しているかというと、死体から記憶を持った気体状の物質を出して、それをとりあえず仮のところに貯蔵し、別の人間が生まれたときにはその体内に入っていくようになっている。

その気体状のものを私たちは「魂」と呼んでいて、それは慰霊祭をやってくれるとか、肉親に会うだとか、そういうときに刺激されて何度でも出てくるようになっていて、だから魂は死後も残るのである……。そのようなことが実証されるかもしれないのです。

ですから、本物の科学者であれば「死後の魂がみえる」ということに対しては、「そういう可能性もありますね」というふうに答えるわけです。

最先端科学とは「常識外れ」である

　ここまでの話は「宇宙」に関しても同様です。

　現在の学問では、１４６億年前に何もないところから突然爆発が起こり、いわゆる「ビッグバン」によって現在の宇宙ができているという理論が主流になっています。

　では、その１４６億年前の「何もないところ」とは何なのか。何もないというのは何もないということではないか。そこが爆発してこの銀河系とか太陽のような大きな物質が突然できるとはどういうことか――と多くの人は疑問に感じるでしょう。

　「何もないところからビッグバンが起きた」という説明は、現代科学としては科学の基本にまったく反したものであって、そんなことを突然言われたら誰もが「いやいや、そんなことはないよ」と思うはずです。

　ところが、主流の理論は一般の感覚とは違います。「物質というのは不滅の法則があるのだから、ビッグバンが起きたところには何かがあるはずだ」というと物理学者や天文学者は「いや、違うのです」という。

146億年前に爆発したというとその以前、たとえば150億年前というのはどこがどうなっていて何があったのかと聞くと「その146億年前に初めて〝時間〟というものができたので、その前には時間はありません」という。

「時間がないというのはどういうことですか?」「だってそこに何かモノがあったのでしょう」と食い下がってみても「いやいや、何もなかったんですよ」とこういうことになるわけです。

そして、最先端の宇宙科学においてはこのような宇宙誕生のビッグバンの話を認めた上で現在の太陽系なり銀河系なり私たちの生命なりの説明がなされています。

しかし、その説明をしているいちばんの根本のところが、現代の私たちの知識からすると奇想天外でまったく信じられない話なのです。

だから私たちが、世の中のどれを信じてどれを信じないかというのは、一つひとつにきちんと当たってみなければいけません。

ダイオキシンの毒性の話も、血圧やコレステロールの話も、みんな基本はこれと同じです。ですから私は、慎重に一つひとつを調べます。

先日テレビに出演して新型コロナウイルスについて話していたところ、私の話が楽観的過ぎるとでも思ったのでしょう、ある女性が「感染すると高齢者は死ぬのだから、そんな危険なことを言ってはいけません」と私に反論してきました。

それで私はその女性に「こういう公共の電波を使ったテレビで発言をするときは、NHKがそう言っていたとか新聞にそう書いてあったというだけではダメですよ。自分で新型コロナで死んだ人の年齢を調べましたか？　私が調べたら、通常の亡くなる方たちの平均年齢よりも少し高かったのですが。それを調べて今のお話をされていますか？」と言ったら、彼女は「誰かが言っていた」ということだったのです……。

今のこの世の中というのは、このようにみんなの噂によって認識が構成されていると言えるでしょう。

第4章

検証編④

日本全体を覆う「錯覚」の正体とは？

——先の大戦と日本文化を考察

「民の幸福」を願ってきた日本の指導者たち

本章では、〝錯覚〟をテーマに、「理系思考」のレッスンをしていきたいと思います。日本全体を覆う「錯覚」ではっきりしているのは、「マスメディアは正しい」と多くの人が考えていることです。いまだに、「NHK等の地上波のテレビ、大新聞は間違いを報じないだろう」という前提にあるのです。

それは、日本の「歴史」と深く関係しています。

大和時代（古墳時代）の仁徳天皇は、人家のかまどから炊煙（すいえん）が立ち上っていないこと（不況）に気づくとそれから3年間の租税を免除しました。その後、煙が見えるようになると「民のかまどは賑（にぎ）わいにけり」と喜びました。

このような国のリーダーはほぼ日本にしかいませんでした。他国の支配者たちは、いかにして民衆から財を吸い上げ、自分が豊かな生活をするかということに執着してきたからです。

日本人の指導層、天皇陛下はもちろん、太政大臣、征夷大将軍という人たちは、民がいかに豊かに楽しく暮らせるか、ということが目的でした。

日本に住んでいるとそういうことがあたりまえだと思うでしょうが、他国（地域）は違います。世の王様というのは、民が幸福だから自分が幸福になると考えているわけではありません。自分が立派なお城に住み、きれいな女性を何人も周囲に侍らせて、美味しいものを食べる生活を求めるので、民から金品を取り上げることに注力していたのです。

そのため他国の民衆というのは、自分たちを支配する人間をほとんど信用していませんでした。

これに対して、日本は「お上に任せておけばいい」という意識がずっと続いてきました。それは「お上は民とともにある」という伝統があったからです。

たとえば、日露戦争のときに明治天皇が、毎日兵士の食べているのと同じ粗末な食事をされていたというのは有名な話です。

こういった指導層に対する「信頼」は、日本独特のものでしょう。

大手マスコミの大衆迎合

それと同様に、かつては日本のメディアも信用できました。大正時代ぐらいまで、我国のメディアはある程度機能していたのです。ところが、日本が国際連盟を脱退する１９３３年前後から変わり始めます。

その当時の大きなメディアと言えば、朝日新聞、毎日新聞、読売新聞でした。その中で、いわば正しいことを報じていた毎日新聞が最も販売数が多かったのですが、それがどんどん部数を減らし、逆に国民を煽った朝日新聞がどんどん売り上げを伸ばしていきます。

たとえば、国際連盟の脱退問題を報じるときに、毎日新聞はこの問題が世界の中でどういうことになっているのか、日本が脱退するというのはどういうことなのかということを比較的冷静に報じました。

その一方で、朝日新聞は「国際連盟を脱退して戦うぞ！」というような記事を書きました。朝日新聞は現在では平和を推し進めるような新聞として多くから認識されているようですが、戦争が始まったところまでは戦争を煽りに煽っていたのです。日本が開戦へ舵を切ったきっかけは、この国際連盟脱退にあったと言われています。

多くの日本人はその当時、戦えば必ず勝つと思っていて、日本に理不尽な要求をする欧米列強をこらしめたいという気持ちがありました。その結果、毎日新聞からは読者が離れて、国際連盟脱退を煽った朝日新聞は大きく部数を伸ばしました。

このことによって、国民を煽るような新聞を出せば売れるということがはっきりとわかったのでしょう。それ以降の日本のメディアというのは必ずしも〝事実〟を報じなくなり、事実よりも「読者が喜ぶこと」「読者が気にかけている」ことに記事の中心を置くことになりました。

今では考えられませんが、その当時の日本国民は戦争をすることにとにかく夢中で、子どもたちは兵隊さんになることを望んでいました。その時代に朝日新聞は戦争を煽ったわけです。

しかし戦争に負けてしまうと、国民は平和を望むようになりました。そうすると、朝日新聞も「平和を守る新聞」のような記事を書くようになります。

また、戦前の朝日新聞は野球にものすごく反対していました。早慶戦（早稲田大学と慶應義塾大学の対戦）が始まると「こんなものは朝日新聞のプライドを賭けて潰すぞ」

と言っていたのですが、戦後になると全国高等学校野球選手権大会を主催するようになりました。

このように国民が望むものとか、国民が怖がるもの――、現在で言えば台風報道や新型コロナウイルス報道など、そういうものを煽る事実と異なる報道をするようになりました。

実は、ＮＨＫも１９７０年から80年ぐらいまでは比較的きちんとした報道をしていました。ところが、その後に低視聴率が問題になったり、ＮＨＫ廃止論などが出てくるようになってから変質していきます。

現在のＮＨＫは民法や新聞同様に、国民を煽るようなもの（環境の時代には「環境が悪くなるぞ」という報道。現在の「新型コロナウイルスは怖い」という報道）……、こういった報道が集中することになってしまいました。

はっきりとウソをついてきた「朝日新聞」

メディアのウソのつきかたには2つあります。

第一種のウソは「直接的なウソ」です。本書で取り上げたものではダイオキシンや血圧、タバコに関するウソがそれにあたります。ダイオキシンは猛毒ではありませんでした。毒物でないという証拠もかなり挙がっていました。しかし、社会全体を怖がらせて視聴率や販売部数を上げるためにはダイオキシンが猛毒だと言ったほうがいいということで、マスコミは「猛毒だ、猛毒だ」と繰り返したのです。

極端な例として、朝日新聞がやったことでは1970年の「牛込柳町鉛中毒事件」というものがあります。これは新宿の牛込柳町の交差点に自動車が集中するので、その排気ガスから出る鉛によって付近住民に健康障害が出たという報道でした。

朝日新聞は大々的にこのキャンペーンを打ちましたが、実はこれが全部ウソだったということが後になってわかります。私は２００７年に書いた『環境問題はなぜウソがまかり通るのか』（洋泉社）という本の中で、このことを詳細に紹介しました。

その本を書くために私は２００６年夏から２００７年にかけて詳細に調査をしましたが、このとき朝日新聞の当該記事はほとんどインターネットで検索できました。稀に朝日新聞の縮刷版をみに行ったこともありましたが、ほとんどはネットで確認できました。

ところが私の本が出てしばらく経ってからネットで調べると、以前に私がネットでみた記事のほとんどが削除されていました。これは朝日新聞の関係者が削除したとみるのが妥当だと思いますが、ウソの報道であったことを隠そうとしたわけですね。

朝日新聞の大きなウソと言えば、「従軍慰安婦問題」があります。これについては朝日新聞自身が謝っていますね。

さらに、環境関係においても朝日新聞はウソをついています。カメラマンが海に潜って自らサンゴ礁をナイフで削りその傷跡を写真に撮り、「こんなにサンゴ礁がやられている」という記事を１９８９年4月20日付夕刊の一面に掲げたという酷いフェイクニュースがありました……。

「地球温暖化問題」は「報道しない自由」の典型例

第二種のウソというのは、いわゆる「報道しない自由」です。あるものを報道するときに、その一部だけを取り上げることによって、実質的にはウソを報じているのと同じことになるというものです。

事実が2つあるうちの片方だけを報道することによって、結果的にメディアに接している人々に間違った印象を与えます。

その典型的なものが、「地球温暖化問題」です。

地球というのは非常に広いので、例年よりも寒いところと例年よりも暑いところとが必ずどこかにはあります。

そのためテレビ局も新聞社も視聴者や読者に「地球が温暖化している」という印象を与えたいと思えば簡単で、地球の中で平年よりも気温の高かったところを取り上げればいい。アメリカのように1カ国の中だけでも気候が激しく変動する大きな国は、片方でものすごい灼熱(しゃくねつ)になるとしたら、もう片方ではものすごい寒さを記録するということがしょっちゅう起こっています。

そうした意味で非常に典型的だったものが「南極の気温」についてです。以前に南極で25℃の最高気温を記録したことがありました。そのとき日本のＮＨＫをはじめとしたテレビ局や新聞各社はこぞって大きく報道しました。

これに対して、２０１８年にはマイナス95℃という史上最低気温を記録しましたが、このことはほとんど報道されませんでした。

なぜそういうことになるのかというと、最高気温だけを報道すると地球が温暖化しているようにみえるからです。

これは日本国内の気温報道も同様です。夏になれば最高気温だけを繰り返し報道します。そうすると、これを見聞きした人たちは「年々、地球は暑くなっているのだな」という気がするのです。

しかし今の日本は、地球が温暖化しているから暖かいのではなく、太平洋の海水の回り方によってちょうど日本近海が暖かい状態になっていることが原因です。

少なくとも２０２０年まではそうでした。時が経てば以前の状況に戻ることになるでしょう。

日本近海もしくは日本列島において、この数年は確かに気温が高くなってはいます。

その一方で、日本とほとんど同じ緯度で太平洋の向こう側にあたるサンフランシスコやロサンゼルスは、日本が30℃、35℃といっていた同じ真夏の時期に20℃前後の気温でした。

地球温暖化問題は、マスコミが報道しない自由を使った大ウソなのです。

ウソに蝕まれた、学者や政治家たち

このように、報道とは「任意にコントロールできる」ものです。これは日本ばかりの話ではありません。

国際社会では、時にメディアが政治的に利用されることもあります。たとえば国民に対して、A国に関する悪いニュースだけを伝える。そして、B国に関する良いニュースだけを伝える。すると、多くの国民はA国のことは好きになり、B国のことは嫌いになります。

こうしたウソを防ぐためにはどうすればいいかと言えば、やはりイチにもニにもメディアに所属する記者やデスクが自分の思想を相手に押しつけようとしたり、視聴率を上げようとか新聞の販売部数を増やそうということをひかえる。事実をそのまま伝えて、視聴者や読者が自分の頭で、自分の人生を鑑(かんが)みながら判断できるような情報を提供する。事実を報じることに徹する「記者魂」を持つことが大切です。

もちろん記者といっても人間ですからいろいろな気持ちはあるでしょう。人間は自分の考えていることが正しいと思いがちですが、実はそれぞれの個人の考えていることはそれほど正しくはありません。

だから自分が何かしらの意見を持ったとしても常にその考えは間違っているのではないかと顧(かえり)みる。自分の意見に対する反論を受けたときにはその反論のほうに多く耳を傾けて、自分の判断をできるだけ正しいものへと近づける努力をしなければなりません。

しかし現在のメディアは政府の考え、官僚の考え、スポンサーの考え、そして世の中全体がどう考えているかということばかりを優先して、事実がどこにあるかということをまったく気にしないというような風潮にあります。

これはメディアだけではありません。最近問題になった「学術会議」の任命問題もそうですが、その学術会議にしても非常に偏っています。

私も学会にいましたからよく知っていますが、昔は学術会議の議員というのはそれぞれ学者たちの投票によって決まりました。そのため私のところにも「投票してくれ、投票してくれ」と山のように手紙が来たりしました。

私が若いころ、本当に学問一筋で頑張ってやっていた先生が、年を取って学術会議の候補者になったりすると、名誉に目がくらんだり他人との競争の意識にとらわれたりして、醜い議員の得票争いをしていました。

その後、少し制度が変わりましたが（政府の任命など）、なにしろ学術会議に入ると、とにかく威張ることができるのですね。多くの先生方が、何十年も経つと知らず知らず学問を追求する心が薄れ、傲慢（ごうまん）になっていきます。

そのような在り方が学術会議の衰退を招き、学問に対する世間からの批判を浴びるようになったのです。

現在の学術会議は残念ながら1回潰して、本当に学問的な興味から国民に学問を知らせるような機関にしたほうがいいのだろう……と私は思います。

これは国会議員にも同じことが言えます。いざ当選してしまうと街頭での演説をしなくなる議員は非常に多いですね。

社会を良くしよう、日本を発展させようと思って国会議員になったのであれば少しでも自分の考えを社会に伝えて、社会がそれに応じて良くなることを期待しているはずですが。

2020年には安倍晋三総理大臣が辞職して、それに代わる首相を決める自民党総裁選挙が行われました。これは自分の意見を世に広める絶好のチャンスです。

新型コロナウイルス、その他の重要な案件、アメリカと中国の争いなどの諸問題が山積みされているわけですから、これに対して国会議員、なかんずく首相候補の人は率先して自分の意見を訴えて、国民や議員仲間からの支持を受けた上で、自分が首相になる。大臣になるという道を選ぶべきでしょう。

それなのに当たり障りのないことを言って、あまり難しい問題には触れたくないというような態度をとっていました。

これは社会の衰退にともなって表れるふるまいです。すでに20世紀初頭にはドイツのマックス・ウエーバーという有名な社会学者が看破していたことでもあります。

マックス・ウエーバーは今から100年前から「学問が好きで大学の教授になっている人はいない、政治が好きで政治家になっている人もいない」というようなことを言っています。そう考えるとこうした社会のゆがみというのは相当深いものがあるのだろうと思います。

先の大戦

大東亜戦争は〝良い戦争〟だった⁉

さて、それではこれより、日本全体を覆っている「錯覚」の正体について、2つの事柄について検証していきます。フェイクニュースを見破るためには、マスコミ報道はもちろん、学校で習ったことも疑ってみる必要があるのです。

まずは、「先の大戦」を科学者の視点で考えてみます。

日本にとっては「大東亜戦争」、アメリカ側から見ると「太平洋戦争」、ヨーロッパから言えば「第二次世界大戦」ですね。

「先の大戦は間違っていた」という錯覚が日本人にはあります。この錯覚は巨大な錯覚ですから、ここで一部を説明してもすべては解けないかもしれません。ですが、少なくともこの本をお買いになった方には冷静に判断していただきたいと思います。

ほとんどの日本人が大東亜戦争は間違った戦争であったと思っており、その錯覚を正すということは大変です。しかし、本書は「人間の頭の中にある錯覚を取り除く」ことを目的としています。

錯覚がなくなれば、今後の人生においていろいろな情報に対しての判断を誤ることが少なくなると思うからです。

私は、みなさんにはあらゆる錯覚を取り除いておいてほしいという立場ですから、困難は承知の上で「大東亜戦争は間違っていたというのは錯覚で、実は正しかったのだ」ということについて、右寄りとか左寄りの思想ということではなく、きちんとした論理上の話をしていきたいのです。

世界中を植民地化した白人たち

1492年のコロンブスのアメリカ大陸発見やバスコ・ダ・ガマのインド航路発見、マゼランの世界一周などがあったことはみなさん学校で勉強したと思います。

このことが何をもたらしたかというと、ルネッサンス以降に学問や科学が飛躍的に発達して国力があり余っていたヨーロッパ諸国が次々と世界各地へ進出することになりました。

そうしてスペイン、ポルトガル、オランダ、イギリス、フランスといった国が非常に強くなっていきました。地図をみればわかるのですが、それらの国は南のほうから北のほうへ大西洋をなぞった海岸線のようなところにあります。つまり、海に向かって開いていて、船さえあればすぐに出航できるだけの力のある国が順番に世界へ乗り出していったのです。

最初はスペインとポルトガルです。コロンブスもバスコ・ダ・ガマもマゼランも、スペインやポルトガルの船で世界へ出ていきました。

スペインとポルトガルは、マヤ文明やインカ文明のあった中南米大陸、それからアフリカ、アフリカの喜望峰を回って東へ行ってインドやインドネシアなど東南アジア、そしてその一部が日本へも来ます。ポルトガルの船が日本へ来て、鉄砲を伝えたのは織田信長が力を伸ばす少し前のことでした（1543年、九州の種子島に鉄砲伝来）。

その後（1549年）、船でやって来たのがポルトガルの宣教師たちでした。キリスト教もそのときに日本へ伝わるわけです。

続いて1600年ぐらいになるとオランダも船をどんどん出し始めて、日本にもオランダがやって来ます。ポルトガルよりはオランダのほうが若干安全と考えた徳川幕府は、長崎に「出島」をつくり、オランダの船を受け入れる政策を行いました（いわゆる「鎖国」。出島では1636〜39年まで対ポルトガル貿易。1641〜1859年まで対オランダ貿易が行われた）。

日本が普通の国であったならすぐに植民地にされていたでしょう。当時、インドはイギリスの植民地になり、インドネシアがオランダの植民地になり、インドシナ半島がフランスの植民地になり、フィリピンがスペインの植民地になっていました。

日本もポルトガルやオランダの植民地になっていたとしても不思議はないのですが、その当時、日本の軍事力は極めて強いものがありました。
応仁の乱（１４６７～１４７７年）が終わり、足利家の室町幕府がだんだん衰退してきて、これに代わって織田信長、豊臣秀吉、徳川家康という強い力を持つ武将がどんどん頭角を現していた時代だったからです。

インドなども本当は鎖国したかったはずです。しかし、鎖国したくてもその武力がなく、国を開けざるを得ませんでした。そして結局、イギリスの植民地になったのです。

ヨーロッパ人の植民地になるというのはどういうことでしょうか。
インドでは、有望な若者が出てくると、イギリス兵が来てその若者の両手首を斬って、手首塚というところへ投げ入れたといいます。そうすることによって、有望な人材が出てくることがなくなって、安心して支配を続けられるからです。
こうした非道が典型的な植民地支配のやり方なのです。

私がフランスの植民地だったベトナムに行ったときには、植民地時代に使われていた牢獄というのを見学しました。だいたい二畳ぐらいのスペースの鉄の檻で、その中には壁に繋がった輪っかが一つと、トイレに使う穴が一つ開いていました。

説明を聞いたところ、植民地になっていた当時のベトナムでは、やはり有望な若者がいると街角を歩いているところを捕まえてくる。そしてパンツ一枚にして牢獄に入れて、輪っかを手首にはめる。そうするともうそこからは出られません。ときどき食事を与えられるぐらいで、そのうちにやせ細って死んでしまう……。

そういうことをフランスはやっていたというのです。実際に牢獄をみて、そういうことが本当に生々しく感じられました。

ポルトガルは本国の人口がそれほど多くないので、広い植民地を支配するというのが難しかった。そこでポルトガル本国は、「ポルトガル兵は現地の女性をいくらでもレイプしていい」というお触れを出しました。レイプをすると子どもが生まれます。そうするとその子どもに父親の名前の一部をつけて「君は誇り高きポルトガルの血を引いた人間だから、現地の人間をちゃんと監督してくれ」と言って銃を渡すのです。

父親にそう言われた子どもたちは誇りを持って銃をもらい、そして植民地を抑えるという、残酷な方法をとりました。

従軍慰安婦などと言って日本軍が強制的に女性を連行したかどうかなどと問題視されています（強制連行自体はウソだったわけですが）。仮にそれが事実であったとしても、それとは比べものにならないほど植民地統治下の女性というのは酷い扱いを受けていたのです。

かくしてスペイン、ポルトガル、オランダ、フランス、イギリスが世界のほとんどを植民地にしました。ただし、白人の支配地域である東ヨーロッパやロシアは植民地にしませんでした。

やはり人種差別が基本にありましたから、黄色人種や黒色人種なら奴隷にしてもいいということで植民地にしたのでしょう。

日本だけが唯一植民地にならなかった

19世紀の半ば、つまり江戸幕府が終わったころに有色人種の国で独立していたのはエチオピア、現在のタイであるシャム、それから中国と日本。この4カ国だけが植民地になるのを逃れて独立した国家として存在していました。

エチオピアはそのころにすごく疫病が流行っていました。白人はすぐにその疫病に罹って死んでしまうものだから、みんな怖がってエチオピアには入らなかったために独立が守られました。

それからシャム、今のタイの人というのは非常に交渉上手でした。インドを獲ったイギリスがビルマも占領して西の方からやって来る。東からはインドシナ、今のベトナム、ラオス、カンボジアを獲ったフランスがやって来る。

そのときに、もしタイをどちらかが獲るとフランスの植民地とイギリスの植民地が直接ぶつかることになるので何かのきっかけで2国間にトラブルが起きるかもしれない。それよりは緩衝地帯としてタイを置いておこうということになり、タイには王様がいましたからその王様とイギリス、フランスが話をして、その結果半分独立のような形で国体が残りました。

中国は非常に大きな国だったので、南のほうはイギリスとフランスが獲り、北のほうはロシアが獲ったものの、中国は清（しん）という名前の国として残っていました。残ってはいましたが、それは今でいう黄河のほとりの細いところだけが実質上の清で、その他は租借地だとかいろんな名目で分割統治されていて清の領土と言えるようなものではありませんでした。

そうしてみると、徳川の世が終わり明治政府ができた1868年ごろ、正確にはもうちょっと後なのですが、軍事的に独立していた有色人種の国は、世界で日本だけだったと言えます。

これは非常に不思議なことです。そのころの世界は、植民地を持ったヨーロッパの国、主にスペイン、ポルトガル、オランダ、フランス、イギリスの5カ国と、それから白人の国だったから占領されていない東ヨーロッパとロシア、それからその当時に白人が建国していたアメリカ、カナダといったところが植民地にならずに残っていただけです。

アメリカは18世紀にアメリカへ移ったイギリス人とフランスが争ってイギリスが勝ち、そうしてイギリス人によって建国されましたから、植民地というよりは占領地でした。

もともと住んでいたインディアンはアジア系の民族ですが、次々と殺されました。最後はもう何千人という規模にまでなってしまい、インディアンの保護というのが行われました。

ちなみに最近では、コロンブスのアメリカ大陸発見というのはヨーロッパの言い方だから、「コロンブスがアメリカ大陸に渡った日」と言うようになりました。

これと同様に、インディアンという呼び名も「ヨーロッパからみてインドの人」という意味で呼んでいたものですから、これはおかしいということで「ネイティブ・アメリカン」という言葉がつくられました。しかし、インディアンの人々は「我々はインディアンと呼んでもらって結構」「そういう呼び方によって民族の貴賤（きせん）が決まるわけではない」と言っているようです。

南アメリカはペルーにインカ帝国がありましたが、全滅しました。すべての人が殺されたのです。

　中米にあったアステカ王国もそうです。メキシコにあったアステカ王国とペルーにあったインカ帝国はスペイン兵によって全滅させられて、その代わりにヨーロッパ人や、奴隷として連れてこられるなどいろんな事情で移ってきたアフリカ人、それからもともとの先住民、この3者の混血の国になりました。つまりいったんすべての人間がいなくなってしまったようなもので、国ごとなくなってしまったのです。

　そのようにして中南米はヨーロッパ人が中心となってつくった国ばかりになりましたから、今もヨーロッパの言葉を使って話します。ポルトガル語を話すのがブラジルで、その他のところがスペイン語といった具合です。

　ただしこれらの国は次々にブラジルとかチリという名前で独立しましたから完全な植民地とは言えませんが、非常に強くヨーロッパの支配を受けた地域であったことには違いありません。

　これが世界全体でしたから、ヨーロッパと違う国、ヨーロッパの血が入っていない国で独立していたのは、実質的には日本だけだったのです。

白人社会は黄色人種の日本国を敵視した

それでも、そのうちに日本も植民地になるだろうと欧州列強は考えていました。ところが案外と日本は強かった。それは、日本が徳川幕府の時代に鎖国できていたというのと同じで、明治になってからも幕末の不平等条約の撤廃を目指しながらも外国と対等に渡り合っていました。

清国はそうではありませんでした。「アヘン戦争」（1840～1842年）ではイギリスにこてんぱんに負けて、満州もロシアに侵されるという状態でやっとのことで生き残っていたわけですから、日本の生き残り方とはまったく違っていました。

とにかく有色人種で独立を保っていたのは世界中で日本だけでしたから、そうなるとすべての白人の国、アメリカ、ロシア、イギリス、フランス、ドイツ等々は、みんな日本のことを憎らしいと思うわけです。日本とイギリスは事情があって一時的に同

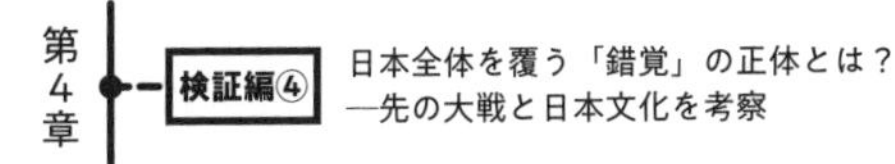

盟を結んだこともありましたが、基本的には「日本」vs「全世界」という構図にあったのです。

まず「日露戦争」（1904～05年）が起こります。当然ロシアが勝つものだろうと他の国々は思っていましたが、日本が勝った。「第一次世界大戦」（1914～18年）のときにはドイツが太平洋のあたりを支配していましたが、日本はこれと戦って勝った。

そうしてますます日本が強くなって、アジアの一角に日本だけがいる。これをどうにかしようということで、1930年代の後半になると「ABCD包囲網」というものがつくられました。Aはアメリカ、Bはイギリス、Cは中国、Dはオランダです。

そのころ中国は自分の国を自力で保つことができなかったので白人側に従属するような恰好（かっこう）になっていて、これを白い中国人と言いました。中国人を蔑視（べっし）しているわけではなく、事実として白人側に寝返ったのです。

このABCDで日本を包囲して、最後に残った有色人種の国である日本を潰してしまおうということになりました。

そして、アメリカを中心としたABCD同盟は「日本には石油を輸出しない。鉄鉱石も輸出しない」という強権を発動したのです。

本当に、無駄で無意味な戦争だったのか？

日本としては、ロシアとの戦争に勝ち、ドイツとの戦争にも勝ち、中国とはゴタゴタしながらも——やっと独立を保って、世界中を白人が支配する中で頑張っていたにもかかわらず、石油と鉄鉱石がこないとなってはどうにもなりません。

飛行機は飛ばせない、船は出航できないということになりますから、日本の軍隊は動けません。そうなればすぐに植民地にされてしまいます。なにしろ、当時は日本以外のすべてが植民地だったのです。

そこで「御前会議」が開かれました。そのときに海軍の軍令部総長だった永野修身（ながのおさみ）が天皇陛下にこう進言したのです。

「政府に聞いてみると、現在のままだと石油も入ってこない、鉄鉱石も入ってこないのでどうにもならず、日本は間違いなく破滅するといっている。しかし軍隊のほうは、アメリカ、イギリスと戦って勝てる見込みはない」と。

それはそうです。当時のアメリカとイギリスは世界で1、2番目の強い国です。しかも第一次世界大戦後には国際的な軍縮会議が行われていて、たとえば軍艦の数ならアメリカが10、イギリスが10、日本が7などと決められていました。他にも条約はありましたが軍艦の数だけでみてもアメリカ、イギリスと日本では20対7なのですからこれは勝負になりません。

戦わなくても滅びる、戦っても滅びる。では、そのときにどちらを選ぶのか。

永野総長は「我々が頑張って戦って滅びたほうが、子孫は立ち上がる勇気が出るだろう。したがって開戦を許してください」と言ったのです。

そうすると天皇陛下は、明治天皇が日露戦争を開始するときに詠んだ御歌「四方の海 みなはらからと 思う世に など波風の たちさわぐらん」をうたわれました。その意味するところは「人はみな兄弟だと思うのだけれども、どうして波が立ち騒ぐのか（どうして戦争になるのだろうか）」ということです。

最終的にこの御前会議では、「戦争をしなくても滅びる。戦争をしても滅びる。しかし同じ滅びるのならば戦って滅びたほうが日本人にその精神が残るから、その精神によって日本を再興することができる」と判断されました。

そのときにそう判断したことに対して、今になって間違っているといったところで意味がありません。そのときにはそう判断したということです。

そして、戦いに突入しました。

そうすると、日本は真珠湾攻撃で勝ち、マレー半島で勝ってシンガポール要塞を占領し、イギリスの旗艦であるプリンス・オブ・ウェールズなどを撃沈させるという上々のスタートを切ることができました。

しかし、長期戦となると……。日本が1国で、アメリカ、イギリス、オランダ、中国、そのころフランスはナチスドイツの関係で大した力は発揮できませんでしたが、それらを敵に回してなかなか勝つことができません。そうして4年数カ月の孤軍奮闘の末に、日本は降伏をしたのです。

アメリカ軍が敗戦後の日本に上陸してきました。そして、アメリカ軍は自身の占領政策を正当化する目的で、「日本が悪い、日本が悪い」という宣伝をして戦後の日本をデザインしてきました。それについてはアメリカからすればあたりまえのことですから、文句を言っても仕方がありませんが。

しかし、「東京裁判」は酷かった。「裁判」という名前がついているだけで、勝者が敗者を裁く場にすぎませんでした。いつの時代も、戦争というのは勝った者が負けた者の首を刎ねるのです。

そうしてアメリカの占領政策が進められる中、日本人の多くが敗戦の結果に対して負の感情を持ちはじめます。

「隣国に迷惑をかけた」「310万人の犠牲者を出してしまった」「そのとき領土にしていた朝鮮も手放し、台湾も手放し、満州国もついえ、千島列島も手放し、樺太も手放した」……、要するに「無駄で無意味な戦争だった」と思うようになったのです。

日本の戦いが世界を差別から解放した

ところが、人間というのはやはり「良心」があるのですね。

もともとは大東亜戦争以前の世界の構図が不当なものでした。白人の5カ国が世界中を占領して、植民地の若者の手首を斬り落としたり、女性をレイプしてきたことが間違っていたわけです。

しかし日本が戦争をしたことによって、世界中が植民地支配というものそのものが不当であるということに気づいたのです。

そしてアジアにおいては、フィリピンがアメリカから独立し、インドシナはその後にホーチミンの戦いもありますが、ともかくベトナム、ラオス、カンボジアがフランスから独立し、インドネシアはオランダから独立し、イギリスの領土だったマレーシアやビルマ、インドも独立しました。

1950年代はそのようにアジアが次々と独立していきました。

その波はアフリカにまで及びます。1960年代は「アフリカの世紀」と言われたように、アフリカの国が次々と独立したのです。

アフリカの国はそれまでどうだったかと言えば、1885年にベルリンで「アフリカ分割会議」というものが行われました。実にけしからんことですが、ヨーロッパの人たちが集まって、アフリカに人が住んでいるのに「おまえはここ、おまえはここ」といって分割をしたのです。

そのために今もアフリカの国というのはだいたい国境線が真っ直ぐになっています。中東もやはり国境線が真っ直ぐなのですが、これもヨーロッパが分割したからです。

そういう国々が1960年代にはほとんど独立しました。そのきっかけとなったのは、明らかに日本の戦いです。

ここまでの話を簡単にまとめます。

世界中で日本だけが有色人種で独立した国だった。それを白人が寄ってたかって潰そうとした。結局その戦いには負けてしまったが、それによって世界は「白人が有色人種の国を植民地にしているのはおかしい」ということに気づいて、それから20年の間にアジア、アフリカが全部独立したということです。

日本が戦争をしたことによる310万人の犠牲者、なぜ日本がそれだけの犠牲者を出さなければならなかったのかという疑問もあるでしょう。しかし、重要なのはその310万人が世界に衝撃を与え、勇気を与え、そして今のように世界中の民族が自分の国を持てるようになったということなのです。

だから、これから1000年も経ったときにはこの事実が世界中ではっきりとわかっていることでしょう。

現在、靖國神社に祀(まつ)られている戦争で亡くなった方々は当然、「英霊」になります。そして日本の行った大東亜戦争は、人間というものを解放した戦争だったとして世界の歴史に刻まれることになるのだろうと、私はそう思います。

「日本が悪い」は、アメリカがつくった錯覚

小さなことを批判する人もいます。

たとえば、「ハワイへの攻撃は奇襲だった」――。それはそうでしょう。戦争の開始というのはほとんどが奇襲です。

「日本は残虐行為を行った」――。これも誤解をおそれずに言えば、戦時下においては大したことではありません。軍隊が１００万人も出て戦えば、みんな刀も鉄砲も持っていますから残虐行為は起こります。日本の残虐行為というのは1人の兵士が刀で何人かを殺したとかそういうことなのですが、それを全部は否定しません。

しかしこれに対してアメリカが原爆を落としたり東京大空襲で10万人を焼き殺したというやり方の残酷さと比べれば、語弊はありますがやはり大したものではなかった、と私は思います。

東京大空襲は酷いものでした。最初にサイパンから出たアメリカの爆撃機は東京の郊外に爆弾を落とします。そうするとみんなが怖がって、そのころ東京には女子どもと老人しかいませんから、それが山手線の真ん中に集まってくる。その頃合いをみて、第二波が今度は焼夷弾を抱えて爆撃にきて、それで10万人もの人々を焼き殺しました。これは完全に犯罪なのです。

広島、長崎に落とした原爆で20万人近くの無辜の人々が被災したのも、どう言い繕ったところで残虐行為です。

このような大きな残虐行為が問題にならずに、日本軍の兵士が一人斬った二人斬ったというのが問題になるのは、これは日本が負けたからです。だからそれも仕方がないと言えば仕方ありません。

だからそのような敗戦の痛みはいくら悔しくとも胸の中に秘めておいて、しかし、大東亜戦争は日本人として誇り高き素晴らしい戦争だったということを知ってもらいたいのです。

大東亜戦争のおかげで、アジア諸国もすべて独立した。遅れてアフリカ諸国も独立した。そして、世界中に人種差別はいけないことだという正しいメッセージを送った――。

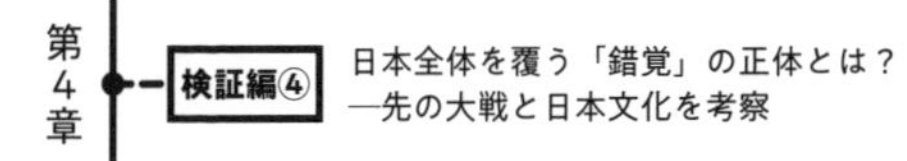

４５０年間にわたる白人による全世界の植民地化、占領というものを終わらせたのは、取りも直さず大東亜戦争だったのです。

＊

その大東亜戦争のさなか、１９４３年に東京で「大東亜会議」というものが行われました。これは有色人種による世界で初めての国際会議です。そのような金字塔も日本は建てたのです。

そして、その第二回目にあたるバンドン国際会議、戦後の１９５５年にインドネシアのバンドンにアジアとアフリカの代表が集まって行われた有色人種による会議でしたが、そのとき日本代表は「何か怒られるのではないか」とビクビクして行ったそうです。

しかし待っていたのは大歓迎でした。それはそうです。日本の戦いのおかげで独立した国々がバンドンで集まったわけですから。

私はアジア各国へ行きましたが、やはり日本人は大東亜戦争によって尊敬されています。一部誤解はありますが、それはほんの一部のことであって、全体を見渡すことのできる人であれば日本に敬意を持っています。

先の大戦の話は、本書の主旨の一つ「錯覚というのはどういうふうにできるか」ということの大きな例として挙げました。

大東亜戦争にまつわる「日本が悪い」という錯覚はアメリカ軍がつくったものです。そうしてアメリカ軍が錯覚をつくると、この本でも記したように、アメリカ軍にゴマを擦って甘い汁を吸おうという学者などがいっぱい出てくるわけです。

そして、その人たちが日本を辱める。いわゆる「反日日本人」が出てくる——。

さらに、テレビや新聞もこれに追従する。そうすると「みんなが言っているから」ということになり、「大東亜戦争は悪い戦争だった」と多くの人たちが言うようになる……。

事実は明々白々で、大東亜戦争は素晴らしい面もあったのに、「悪い戦争」ということになってしまいました。

これが日本全体を覆う大きな錯覚となって、今もなお私たちのさまざまな間違いの根本にあるのです。

日本文化

日本と他国の文化はまったく異なる

日本全体を覆っている「錯覚」の正体について、次に検証するのは「日本文化」です。

日本というのは温帯の島国です。温帯の島国というのはいくらでも地球上にありそうに思うかもしれませんが、実は割合と大きな島国となると日本だけです。イギリスは亜寒帯ですから温帯とは言えず、日本からみれば非常に厳しい気候です。

その他の類似のところというと、マダガスカル島やニュージーランドですが、これらはいずれも南半球で、昔からほとんど人がいませんでした。

熱帯地方となるとインドネシアなどの国がありますが、なんと言っても熱帯ですからやはり気候は厳しい。また、島があまりに小さいと日本とはかなり感じが違いますし、人口密度が低くてもその影響は異なります。

そうしてみると、日本のように1億人ぐらい住んでいて、37万平方キロメートルぐらいの土地面積があって、しかも温帯であるという国はまったくありません。

ある程度の人がまとまって住んでいて、動物も一緒にいて、山や谷があり、四季折々、春夏秋冬があって、適切に雨が降るなどというところは本当に日本しかありません。

世界を旅行してみると、日本がいかに風が弱くて気候が穏やかで、暑さで死ぬこともなく凍死することもない特別な国だということがわかります。

その中で昔の日本人は自然をじっくりと観察しました。日本人が特別に自然に対する観察力が強い人種だったのか、それとも日本列島という特別な地形と気候の影響を受けて日本人が自然をじっくり見るということになったのかはわかりません。

日本以外の多くの国では、自然とは自分を襲ってくる危険なものです。猛獣も自然もともに人間を襲ってくるものです。ところが日本は猛獣も多くはいなかったということもあって、「自然と共に暮らす」という環境にありました。

もちろん噴火や地震もあれば台風もありましたが、それはときどきのことです。

その結果、非常に大きなことが日本人の精神文化として表れるようになりました。

その第一は「すべてのモノは、お互いに頼りながら平等に生きている」という概念です。

人間同士、男と女もそう、動物もそう、植物もそう、山や川や海といったものも、本質的には「同じ」であり、さらには自然現象の雷とか台風とかいうものも「自分たちと一緒にある」と考えるようになったのです。

そのことは江戸時代の俳人・加賀千代女が詠んだ有名な俳句によく表れています。

「朝顔やつるべ取られてもらひ水」

朝顔が井戸の釣瓶に絡まっていて、自分が水を汲みあげようとすれば朝顔の蔓が切れてしまう。それはかわいそうだから、お隣に水を借りに行くということですね。

こういう心境というのは、日本で生活をしたことのない人にはわからないそうです。

日本人以外の方々からすると「朝顔の蔓ぐらい切って何が悪いのだ。自分が水を飲むことのほうが大切だ」と考えるほうがあたりまえのことなのです。海外の環境の厳しいところになると、極端なことを言えば、自分が水を飲むために人を殺したりすることもあるからです。

しかし日本のように水に不自由しないところだと、自分の家の水が飲めなければお隣に借りに行けばいい。さらに、朝顔だって自分と一緒なのだという気持ちになるのです。

もう一つ日本人の特性として極端なのが、自動車のバンパーです。

パリなどへ行くと、非常に路幅が狭いので車同士がギュウギュウに駐車されています。ですから、前の車のバンパーに当ててギュッと押し出して、後ろの車にもバンパーを押しつけてギュッと後退させて、その間にできた隙間から出ていくというようなことが普通にあります。

もちろんバンパーには傷がつきますが、そのときに「おれのバンパーに傷をつけてどうしてくれる‼」などというのは日本人だけで、他の国でそんなことを言ったら「バンパーというのはボディを守るためにあるのに、何をあなたはそんなに怒っているのですか？」ということになります。

この2つの例は、「植物も人間と同じ、そしてモノも人間と同じだ」という、日本人の感覚をよく表していると思います。

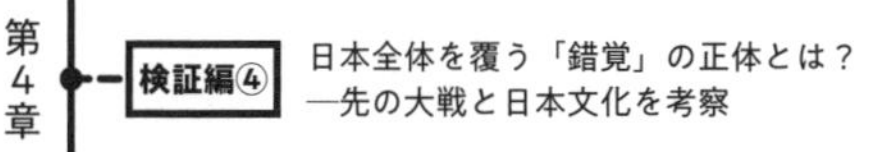

日本に男女差別など存在しない

このように日本人にとってはすべてのものが「同じ」なわけですから、当然「男」と「女」も同じだと考えます。ですから、日本人は「男女平等」という思想はありません。外国のような差別の思想ではないからです

日本列島にあるものはすべて同じですから「奴隷」も生じませんでした。

江戸時代には士農工商というのがあって、以前はこれを「身分制度」だと言っていましたが、今では単なる「職業分類」であったと考えられています。

本当の身分制度というものがあったならば、いくら頑張っても木下藤吉郎は豊臣秀吉にはなれなかったはずです。しかし、日本の職業分類においては優れた人であれば職業を変えることができたので、お百姓さんが侍になったり侍がお百姓さんになったりする例が多くありました。

この士農工商の考え方は、お金のない武士が権力を持ち、お金のある商人は権力を持たないという「権力とお金の分離」という意味もありました。さらに、年貢が「米」

だったのは「権力者は税を取るが、それは蓄積できない米でなければならない」という思想が入っているのです。

男女平等に話を戻します。日本にはそもそも「平等」という概念がなくて、「みんな同じに生活している」という考え方なのです。だから女性は女性に適したことをやり、男性は男性に適したことをやる。どちらも同じなのだからお互いに都合のいいことをやればいいという考え方があっただけです。

いわゆる日本流の「分業」です。これはお互いの特徴を活かすという良い意味になります。

ところがヨーロッパも中国も中東もそうですが、日本以外の国では「男が女を所有する」というのが古来の考え方だったのです。

支配層が被支配層を所有して、男が女を所有するという考え方は日本とはまったく異なるものです。日本では女性が衣食住と、あとは記録文書の作成を担当しました。だから、紫式部が『源氏物語』を書き、清少納言が『枕草子』を書いたのです。

女性は「山の神」と言われて家事全般を統括し、結婚すると夫は妻から外に派遣されて働いて帰ってくるという存在でした。最近の言葉で言えば、派遣労働者です。男は朝に家から出て、仕事をして帰ってきて、そこで得た金品を妻にすべて渡しました。このすべて渡すというところにも分業の思想があるわけです。外で稼いでくるのは夫ですが、管理するのは妻だから妻にすべて渡す。そうして妻が夫に必要な小遣いを渡すというシステムになっているのです。

こんな国もやはり日本以外にはありません。

日本文化というものをよく知らないと、いろいろなことで間違いが起こります。日本以外の国では「女性が男性と比べてどのくらい仕事をするか」ということに点数をつけたりして、女性解放度というのを示したりするのですが、そんなことは日本では必要ありません。

日本には伝統的に、女性には女性の特性に合わせた特権的な仕事があったのですから、それを男性と同じ仕事をさせるというのはむしろ女性をバカにしていることだからです。

このように、日本と他の国では考え方が逆なのですから何でも海外のマネをすればいいということではありません。錯覚を取り除くためにも、日本文化というのをよく把握するということが非常に大切なのです。

「抽象概念」を神とした日本人

この本は特に日本文化を述べるものではありませんが、「科学的思考」をより理解するためにも最低限度、日本文化に対する錯覚を直しておくのは大切なことだと考えます。

その意味で、もう一つ挙げておかなければならないのが「日本の宗教」についてです。

信教の自由とか、一神教や多神教といったことに対する考え方というのは、日本と日本以外の国ではまったく違います。

日本人の考え方の根本には、先ほど述べたように「自然をじっくりと観察したら、どうも自分たちは自然の中から生まれてきたものであり、自然も人間も同じなのだ」ということがあります。

あたりまえのことなのですが、太陽がなければ、地球上の生物は生まれない。山や川や海がなければ、作物も収穫できないし獲物もとれない。だから太陽はもちろん、山や川や海は私たちをつくったものであり、動物もそうで植物もそうである。

そういう考えから、まず「自然」全体を、自分たちをつくったものということで神様として位置づけました。そのために「お天道様の下ではウソをつかない」というような考えも生まれたのです。

つまり、日本人にとってお天道様は神様です。そして、山も神様ですから山のふもとに神社をつくって山の神様が下りてくるというように考えます。海にも岩があったらそこにしめ縄を張って、海の神様に感謝する。そのようにすべての自然が日本の神様なのです。

もう一つの日本の神様は「ご先祖様」です。

そうした考えが生まれたのは縄文時代ではないかと言われています。その時代にはまだ遺伝という考え方はありませんでしたが、自分には父母という2人の人間がいるということはよくわかります。

その父母を生んでくれたおじいちゃんおばあちゃんというのは父母でそれぞれ2人ずつの計4人いる。この4人がいなければ自分は生まれない。そうやって600年ぐらいさかのぼっていくと、自分をつくってくれた人はだいたい100万人ぐらいいるということになります。100万人となると、自分も含めて見渡す限りの人々よりも人数が多く、そうなると自分とか周りの人たちをつくったのは共通の親なのだろうという考えに至るわけです。

私たちはみな兄弟であり、100万人の先祖が自分たちをつくってくれたのだと考える。そうしてご先祖様をみんなで神様として崇めようということになりました。

このように日本は自然とご先祖様、この2つを神としてきたわけです。

だから、たとえばお釈迦様に対してもまったく拒否感はありません。お釈迦様もご先祖様の一人ですから当然崇拝するわけです。

それはイエス・キリストでも同じことです。キリスト教式で結婚式を挙げて、イエス・キリストの前で愛を誓う。これはこれで別に構わない。イエス・キリストもご先祖様の一人で神様なのですから。

お正月になると神社へ初詣に行くのも構わない。お彼岸のお墓参りでお寺へ行ってお坊さんの説教を聞くのも構わない。クリスマスだハロウィンだといって海外の風習を真似るのも構わない。

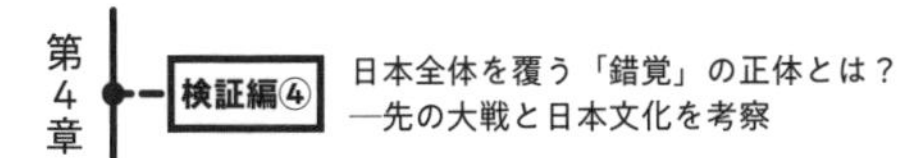

日本にとっての宗教というのは、一神教でも多神教でもないのです。日本のことを多神教という人もいますが、それは日本のような宗教の形がなかったヨーロッパ式の分類に過ぎません。

日本の宗教は数が多数なのではなくて、自然とご先祖様という「抽象概念」を神様としているのです。

日本には「自由」や「平等」という概念は必要なかった

もともと日本には、「信教の自由」という概念がありません。なぜなら、誰であれ自然とご先祖様から生まれてきているので、イエス・キリストさんも神様の一人ですからどうぞどうぞ、ムハンマドさんもどうぞどうぞ、ということになるのです。

だからもともと信教の自由どころか、宗教で人を区別することがない——というのが日本人の精神構造の基礎を成しているわけです。

「あなたはどの宗教ですか」というようなことを聞かれたときに、「無宗教です」と答える日本人が多くいます。しかしこれは「ヨーロッパの宗教概念の中には入っていませんよ」ということであって、日本に宗教がないわけではないのです。

日本にも神様はちゃんとおられて、私たちは結婚式で牧師さんに「愛を誓います」と言うときも、初詣で神社の神様に手を合わせるときも、墓参りに行ってご先祖様に手を合わせるときも、心の底から手を合わせています。

しかし、このような日本文化の特性がいろいろな点において、日本人が他国の文化を理解できないということにもなっています。

たとえば中国では占領下にあるウイグルの人の肝臓を摘出して中国（漢）人に移植していると聞けば、たいへんにけしからぬと思うでしょう。みんな神様であるところのご先祖様から生まれてきたのに、ウイグル人にだけそういうふるまいをすることは許されないと考えるわけです。

しかし中国は共産主義ですから基本的に宗教はありません。したがって一番効率的にやるということで、ウイグル人の肝臓を中国人に移植して中国人が助かるのならそれでいいじゃないかという理屈が成り立つわけです。

アメリカやヨーロッパ、中東、中国のニュースや論説を聞くときには、相手の宗教心や倫理観、論理構成を基にして聞けばいいのですが、日本人は日本の宗教観や日本の論理や倫理を基にして聞きますから、そこで誤解が生じてしまうのです。

この誤解でいちばん大きいのは、男女平等思想でしょう。先にも触れたように日本には男女平等という概念自体がありません。

これは宗教の自由という概念そのものがないということと同じです。宗教に関しては、「別に他人が信じている神様を自分が一緒に拝んでもいいじゃないか」ということになるわけです。

男女平等ということについても同様で、そのような概念がそもそもなかったので、「男女共同参画」というと日本人の多くは非常に違和感を覚えることになるのだと思います。

女性は女性でやることがあり、男性は男性でやることがある。だからこそ、自然は男と女をつくったのだというのが日本人の考え方です。

そういう文化がずっと長く続いてきて、日本人はその現実をじっくりとみてきた上で、男と女が無理して一緒のことをしなくてもいいのではないか――という結論に達したのです。

日本文化を知れば、外国人にも騙されない

ここまで検証してきたように、「日本文化」をまとめると、大きく3つあります。

1つは、支配層が被支配層を所有するという文化がないこと。
だからみんな平等で、海外のような強い差別意識もありません。人種差別も日本の歴史にはほとんどありませんでした。

2つめは、男が女を所有するという考えがないこと。
だから男と女は平等です。いや、平等ということさえ意識していません。あるのは、男女の役割分担です。

3つめは、宗教の概念が他国とはまったく異なるということ。自然とご先祖様という抽象概念を神様とするのが日本人の伝統的な考え方です。

この3つをいつも頭に置いて、外国のニュースをチェックしてみてください。そうすれば、外国にかぶれたり、悪意のある外国人にも騙されることもなくなるでしょう。

＊

他国とは異なる文化を持っているということが日本人の特徴です。これらの特徴をよくよくわかっていないと、本書で取り上げたような錯覚を起こすことになる。フェイクニュースに惑わされてしまう。そして、最終的には自分や家族が損をすることになるのです。

おわりに
～フェイクニュースで損をするのは民である

さて、この本も長い旅の終わりに差し掛かりました。

ここまでさまざまなフェイクニュースの例を挙げてきましたが、それによって結局、誰が損をするのかと言えば、それは私たち自身です。

情報を発信する人、それを考える人、政策をつくる人たちは損をしません。それは、彼らはウソをついたり、つじつまの合わないことをやったり、自分たちに都合のいい法令をつくったりするからです。その人たちは損をせずに、私たちが損をする……。

昔は貴族がいて王様がいて、その人たちが支配をしていました。今は民主主義で選挙があって私たちの代表が国会に出ています。そのほかのこともかなり民主的になった。だから私たちは騙されないはずなのですが、昔よりも騙されている傾向にあるのはなぜでしょうか。

この本でも何度か記しましたが、昔の日本では殿様や侍が民のことを考えて政治を行っていました。民は政治のことを知らなくても一所懸命に自分が働けば幸福な人生を送ることができました。

ところが最近は民主主義になって選挙があって、むしろ自分たちの判断が国政に影響を及ぼすようになりました。その結果、私たちの判断自体が間違っていたら私たち自身に被害が及ぶという社会になったわけです。

貴族社会と大衆社会の違い

1920年から30年にかけて世界中に少しずつ、それまでの貴族社会から大衆社会へと変わっていきました。これは何を意味していたのかというと、貴族社会というのはまず貴族が全国民の5%くらいいます。その人たちは高度な教育を受け、小さいころから「おれたちは貴族だから覚悟を決めて、この国を指導するのだ」という意気込みがありプライドも高かったのです。

貴族たちは、一人ひとりが「独自性」というものを持っていました。英語ではよく「アイデンティティ」と表現するのですが、自分なりの考え、自分なりの生活態度、自分なりの人生の目標というのをそれぞれの貴族は持っていたわけです。

つまり、一人ひとりが独立した人間であった——。それはどういうことかというと、一人ひとりが自分で情報を得て、それに基づいて考えていたということです。ですから、むしろ貴族は「他の貴族と自分は違う」ということが誇りでした。みんなと同調しようという考えはなかったのです。

ところが、大衆というのはそれとまったく逆だとよく言われます。大衆というのは基本的に同じ情報を得ています。そして、学問や判断力にはあまり自信がないので、まわりをキョロキョロとみて「最近みんなが半袖を着るようになったから自分も着よう」「ああいうものが流行っているみたいだから私もそれを食べよう」などとなる。その結果、みんなと一緒になるということが大衆の規範になってしまうのです。

「貴族は一人ひとりがよく考える。大衆は付和雷同(ふわらいどう)する」……。

今回の新型コロナウイルスもそう。ウイルスが流行って新聞やテレビが「怖い、怖い」というと自分も怖くなる。年を取った人がお亡くなりになるというと、年配の方はビクビクするというふうになるのです。

自分自身で判断することの大切さ

そして、このことが現在の日本の諸問題をつくっています。

つまり、私たちが騙されるというのは、私たち自身が騙される行動や騙される考え方をしているということです。私たちが本当に騙されないためには、私たち一人ひとりが、言うなれば「貴族になる」ということです。「自分は他の人とは違う」「他の人がAという考えでも自分はBという考えである」ということになればいいのです。

ところが、NHKなどでは、全国民がわかるようにと非常にやさしく伝えます。難しいことを言ってみんなに考えてもらおうと思っても、地方のおばあさんからは「それはわかったけれども、結局、私はどうしたらいいの?」と尋ねられるので、事実そのままではなく、その人がどうしたらいいのかということまでも報道するようになります。

そうすると人間はどうしてもラクなほうがいいので、たとえば「アメリカと中国の争いが激化している」という事実を聞いても「じゃあ私はこうしよう」というふうにはなかなか思いが至らない。だからテレビでは「アメリカと中国の争いは、現在こうなっている」という事実の次に、「だから近い将来にはこうなる」「そのため農業をやっている人はこうしたらいい」「会社員はこうしたほうがいい」「主婦はこうしたらいい」とさらに懇切丁寧に解説をすることになります。

そういうことをずっと長い間にわたって見聞きしていると、つまりＮＨＫをずっとみていると、これは当然考える力を失います。

ＮＨＫは親切心で選挙があれば「投票へ行きなさい」と言ってくれるし、台風が来そうになると「自分の命を守る行動をとってください」とそんなことまで教えてくれる。

誰だって命は守りたいのですから、そんなことまで言われなくてもいいというのが人間本来の考え方ですが、ＮＨＫが「どうやって命を守ればいいのか」「どの時点で命を守る行動をしなければいけないのか」ということも懇切丁寧に教えてくれるわけです。

この親切心が、かえって私たちから判断力を奪います。そして、これに乗じて悪い人間が出てきて、その人たちに簡単に騙されてしまう人間ができてしまうのです。

特に、日本人はわりあいと人柄が良くて、他人を欺いて金品を盗ろうなどという人は少ない。そこには相手を善人だと思う気持ちがあるものですから、余計に騙されてしまいます。

つまり、「貴族社会であることと大衆社会の何が違うのか、そして自分がどういう立場にあるのか。テレビはどういう姿勢で私たちに対する放送を流しているのか。そしてそれに対してどのような注意を払わなければいけないのか、ということを私たちは今後、総合的に〝理系思考〟で考え、自分なりに判断できるようにならなければいけない」ということが本書の結論になるのだと思います。

令和3年睦月

武田邦彦

[略歴]

武田邦彦（たけだ・くにひこ）

1943年東京都生まれ。工学博士。専攻は資源材料工学。

東京大学教養学部基礎科学科卒業後、旭化成工業に入社。同社ウラン濃縮研究所所長、芝浦工業大学教授、名古屋大学大学院教授を経て、2007年中部大学総合工学研究所教授、2014年より同特任教授。

著書に『50歳から元気になる生き方』（マガジンハウス）、『ナポレオンと東條英機』（ＫＫベストセラーズ）、『環境問題はなぜウソがまかり通るのか』３部作（洋泉社）他ベストセラー多数。

武器としての理系思考

2021年３月12日　　第１刷発行

著　者　武田 邦彦
発行者　唐津 隆
発行所　株式会社ビジネス社
〒162-0805　東京都新宿区矢来町114番地 神楽坂高橋ビル5F
電話　03(5227)1602　FAX　03(5227)1603
http://www.business-sha.co.jp

〈編集協力〉早川満
〈装幀〉谷元将泰
〈本文組版〉茂呂田剛（エムアンドケイ）
〈印刷・製本〉中央精版印刷株式会社
〈営業担当〉山口健志
〈編集担当〉漆原亮太、荒井南帆（啓文社）

ISBN978-4-8284-2259-6